michael morpurgo

caeau fflandrys

Addaswyd gan Elin Meek

DREF WEN

Er mai enw ar garreg fedd yn Ieper (Ypres) oedd yr ysbrydoliaeth ar gyfer y teitl Saesneg (Private Peaceful), *ffuglen yw'r gwaith hwn. Caiff unrhyw gyfeiriad at bobl go iawn (yn fyw neu'n farw), lleoedd a digwyddiadau hanesyddol go iawn eu defnyddio'n unig er mwyn rhoi cyd-destun diwylliannol a hanesyddol priodol i'r ffuglen. Cynnyrch dychymyg yr awdur yw pob enw, cymeriad, lle a digwyddiad arall yn y llyfr hwn, a chyd-ddigwyddiad yw unrhyw debygrwydd i bobl go iawn, yn fyw neu'n farw.*

Cyhoeddwyd 2009 gan Wasg y Dref Wen,
28 Ffordd yr Eglwys, Yr Eglwys Newydd,
Caerdydd CF14 2EA, ffôn 029 20617860.
Cyhoeddwyd gyntaf yn y Deyrnas Unedig yn 2003
gan HarperCollins *Children's Books* ,
77-85 Fulham Palace Road, Hammersmith, Llundain W6 8JB
dan y teitl *Private Peaceful*

Argraffwyd ym Mhrydain.

I'm hannwyl fam fedydd,
Mary Niven

PUM MUNUD WEDI DEG

Maen nhw wedi mynd nawr, a minnau ar fy mhen fy hunan o'r diwedd. Mae'r nos i gyd o'm blaen, a dwi ddim am wastraffu eiliad ohoni. Chysga i ddim, na breuddwydio chwaith. Alla i ddim, achos bydd pob eiliad yn llawer rhy werthfawr.

Dwi eisiau cofio popeth, yn union fel roedd e, yn union fel y digwyddodd. Dwi wedi cael bron i ddeunaw mlynedd o ddiwrnodau, a heno rhaid i mi geisio cofio cymaint ohonyn nhw ag y medra i. Dwi eisiau i heno fod yn hir, cyhyd â fy mywyd, nid yn llawn breuddwydion chwim sy'n fy ngwthio tua'r wawr.

Heno, yn fwy nag unrhyw noson arall o'm bywyd, dwi eisiau teimlo'n fyw.

* * *

Mae Wil yn gafael yn fy llaw, yn fy arwain oherwydd ei fod yn gwybod nad ydw i eisiau mynd. Dwi erioed wedi gwisgo coler o'r blaen a dwi'n tagu. Mae fy esgidiau'n ddieithr a thrwm ar fy nhraed. Mae fy nghalon yn drom hefyd, oherwydd dwi'n arswydo rhag y lle dwi'n mynd iddo. Mae Wil wedi sôn sawl tro pa mor erchyll yw'r ysgol 'ma: am Mr Morris a'i dymer wyllt a'r gansen chwipio hir sy'n hongian ar y wal uwchben ei ddesg.

Does dim rhaid i Sam Mawr fynd i'r ysgol a dwi ddim yn meddwl bod hynny'n deg o gwbl. Mae e'n llawer hŷn na mi. Mae e hyd yn oed yn hŷn na Wil a dyw e erioed wedi bod yn yr ysgol. Mae'n aros gartref gyda Mam, yn eistedd i fyny fry yn ei goeden yn canu *Si-so, jac-y-do*, ac yn chwerthin. Mae Sam Mawr bob amser yn hapus, bob amser yn chwerthin. Trueni na allwn i fod yn hapus fel fe. Trueni na allwn i aros gartref fel fe. Dwi ddim eisiau mynd gyda Wil. Dwi ddim eisiau mynd i'r ysgol.

Dwi'n edrych yn ôl dros fy ysgwydd, yn gobeithio am gael dianc, yn gobeithio y bydd Mam yn rhedeg ar fy ôl ac yn mynd â mi adref. Ond dyw hi ddim yn dod a dyw hi ddim yn dod, ac mae'r ysgol a Mr Morris a'i gansen yn dod yn nes bob cam.

"Wyt ti eisiau i mi dy gario di ar fy nghefn?" medd Wil. Mae e'n gweld fy llygaid yn llawn dagrau ac mae'n gwybod sut mae hi. Mae Wil wastad yn gwybod sut mae hi. Mae e dair blynedd yn hŷn na mi, felly mae e wedi gwneud popeth ac mae'n gwybod popeth. Mae'n gryf, hefyd, ac yn dda iawn am fy nghario ar ei gefn. Felly dyma fi'n rhoi herc ac yn cydio'n dynn, y dagrau'n cronni y tu ôl i'm llygaid sydd ar gau, wrth i mi geisio peidio â chrio'n uchel. Ond alla i ddim atal fy igian am lawer o amser oherwydd dwi'n gwybod nad dechrau dim byd yw'r bore 'ma – dyw e ddim yn newydd ac yn gyffrous fel mae Mam yn dweud – ond yn hytrach dyma ddiwedd fy nechrau. Wrth i mi gydio'n dynn yng ngwddf Wil dwi'n gwybod fy mod i'n byw eiliadau olaf fy nghyfnod heb ofalon, ac nad yr un person fydda i pan ddof i adre'r prynhawn 'ma.

Dwi'n agor fy llygaid ac yn gweld brân farw'n hongian o'r ffens, a'i phig ar agor. Tybed gafodd hi ei saethu, ei saethu wrth iddi grawcian, wrth iddi ddechrau canu, a'i thôn swnllyd newydd ddechrau? Mae hi'n siglo, a'i phlu'n dal y gwynt er ei bod hi'n farw. Mae ei theulu a'i ffrindiau'n crawcian yn eu galar a'u dicter o'r coed ffawydd uchel uwch ein pennau. Dwi ddim yn teimlo trueni drosti. Efallai mai hi yrrodd fy robin goch i ffwrdd a chymryd yr wyau o'r nyth. Fy wyau i. Roedd pump ohonyn nhw yno, yn fyw ac yn gynnes o dan fy mysedd. Dwi'n cofio eu tynnu nhw allan fesul un a'u rhoi nhw yng nghledr fy llaw. Roeddwn i eu heisiau nhw ar gyfer y tun, i'w chwythu fel gwnaeth Wil, a'u gosod nhw mewn gwlân cotwm gyda'r wyau aderyn du a'r wyau colomen oedd gyda fi. Byddwn i wedi mynd â nhw. Ond gwnaeth rhywbeth i mi dynnu'n ôl, ac oedi. Roedd y robin goch yn fy ngwylio o lwyn rhosod Tada, a'r llygaid du gloyw'n rhythu ac yn ymbil arnaf.

Roedd Tada yn llygaid yr aderyn yna. O dan y llwyn rhosod, yn ddwfn oddi tano, wedi'u claddu yn y ddaear laith a'i mwydod roedd popeth oedd yn werthfawr iddo. Roedd Mam wedi rhoi ei bib yno gyntaf. Yna gosododd Wil ei esgidiau hoelion ochr yn ochr, yn cwtsho'n braf gyda'i gilydd ac yn cysgu. Penliniodd Sam Mawr a gorchuddio'r esgidiau â hen sgarff Dad.

"Dy dro di, Tomi," meddai Mam. Ond allwn i ddim. Roeddwn i'n dal y menig roedd e'n eu gwisgo'r bore y buodd e farw. Roeddwn i'n cofio codi un ohonyn nhw. Roeddwn i'n gwybod rhywbeth nad oedden nhw'n ei wybod, rhywbeth na allwn i byth ei ddweud wrthyn nhw.

Helpodd Mam fi yn y diwedd, fel bod menig Tada'n gorwedd yno ar ben ei sgarff, a'r cledrau i fyny, a'r bodiau'n cyffwrdd â'i gilydd. Teimlais y dwylo hynny'n fy annog i beidio, yn fy annog i feddwl eto, i beidio â mynd â'r wyau, i beidio â mynd ag eiddo rhywun arall. Felly wnes i ddim. Yn lle hynny, gwyliais i nhw'n tyfu, gweld y cywion esgyrnog yn symud am y tro cyntaf, y nyth o bigau cegrwth yn ymbil, y sgrechian gwyllt adeg bwydo. Yna, yn rhy hwyr, gwelais o ffenest fy ystafell wely ddiwedd y gyflafan yn y bore bach. Y ddau riant robin goch yn gwylio fel fi, yn llawn gofid ac yn ddiymadferth, a'r brain rheibus yn dianc fry i'r awyr dan grawcian, wedi i'r llofruddio ddod i ben. Dwi ddim yn hoffi brain. Dwi erioed wedi hoffi brain. Mae'r frân sy'n hongian ar y ffens wedi cael ei haeddiant. Dyna fy marn i.

Mae'n anodd i Wil fy nghario i fyny'r rhiw i'r pentref. Gallaf weld tŵr yr eglwys ac, oddi tano, do'r eglwys. Mae fy ngheg yn sych gan ofn. Dwi'n cydio'n dynnach fyth.

"Y diwrnod cyntaf yw'r un gwaethaf, Tomi," medd Wil, a'i anadl yn ei ddwrn. "Dyw e ddim cynddrwg â hynny. Wir i ti." Bryd bynnag y bydd Wil yn dweud "wir i ti", dwi'n gwybod ei fod yn dweud celwydd. "Beth bynnag, fe ofala i amdanat ti."

Dwi *yn* credu hynny, oherwydd dyna mae e wedi'i wneud erioed. Mae e *yn* gofalu amdanaf i hefyd, yn fy ngosod ar y llawr, ac yn fy arwain drwy rialtwch swnllyd iard yr ysgol, ei law ar fy ysgwydd, yn fy nghysuro, yn fy amddiffyn.

Mae cloch yr ysgol yn canu a dyma ni'n ffurfio dwy res dawel, a rhyw ugain o blant ym mhob un. Dwi'n adnabod rhai ohonyn nhw o'r ysgol Sul. Dwi'n edrych o 'nghwmpas a sylweddoli nad yw Wil wrth fy ochr mwyach. Yn y rhes arall mae e, ac mae'n wincio arna i. Dw innau'n wincio'n ôl ac mae e'n chwerthin. Alla i ddim wincio ag un llygad, ddim eto. Mae Wil bob amser yn gweld hynny'n ddoniol iawn. Wedyn dwi'n gweld Mr Morris yn sefyll ar risiau'r ysgol yn gwasgu ei figyrnau'n swnllyd yn nhawelwch sydyn iard yr ysgol. Mae ganddo wats aur yn agored yn ei law. Ei lygaid e sy'n frawychus a dwi'n gwybod eu bod nhw'n chwilio amdanaf.

"Aha!" gwaedda, a phwyntio'n syth ataf. Mae pawb wedi troi i edrych. "Bachgen newydd, bachgen newydd ar ben popeth arall. Onid oedd un o'ch teulu chi'n ddigon? Beth wnes i i haeddu un arall? William Griffiths yn gyntaf, a nawr Thomas Griffiths. Gwae fi! Rhaid i ti ddeall hyn, Thomas Griffiths, fy mod i'n feistr corn ar bawb fan hyn. Rwyt ti'n ufuddhau i mi. Dwyt ti ddim yn twyllo, dwyt ti ddim yn dweud celwyddau, dwyt ti ddim yn cablu. Dwyt ti ddim yn dod i'r ysgol yn droednoeth. Ac fe fydd dy ddwylo'n lân. Dyna fy ngorchmynion i. Wyt ti'n deall?"

"Ydw syr," sibrydaf, a synnu bod llais gen i o gwbl.

Rydyn ni'n cerdded yn rhes heibio iddo, a'n dwylo y tu ôl i'n cefnau. Mae Wil yn gwenu draw arnaf wrth i'r ddwy res wahanu: "Babanod" i'm hystafell ddosbarth i, "Plant Mawr" i'w ystafell ef. Fi yw'r lleiaf o'r Babanod. Mae'r rhan fwyaf o'r Plant Mawr yn fwy na Wil hyd yn oed. Mae rhai ohonyn nhw'n bedair ar ddeg oed. Dwi'n ei wylio fe tan i'r drws gau y tu ôl iddo a dyna fe wedi mynd. Tan yr eiliad hon, dwi erioed wedi gwybod beth yw teimlo'n wirioneddol unig.

Mae careiau fy esgidiau'n rhydd. Dwi'n methu eu clymu nhw. Mae Wil yn gallu gwneud, ond dyw e ddim yma. Dwi'n clywed llais Mr Morris yn daran drws nesaf wrth iddo alw'r gofrestr a dwi'n falch mai Miss Roberts sydd gyda ni. Efallai bod ei hacen hi'n rhyfedd, ond o leiaf mae hi'n gwenu ac nid Mr Morris yw hi.

"Thomas," medd hi wrtha i, "dyna lle byddi di'n eistedd, nesaf at Mair. Ac mae careiau dy esgidiau di'n rhydd."

Mae pawb fel petaen nhw'n chwerthin ar fy mhen wrth i mi eistedd. Y cyfan dwi eisiau ei wneud yw dianc, rhedeg, ond feiddia i ddim. Y cyfan y gallaf ei wneud yw llefain. Dwi'n plygu fy mhen fel na allan nhw weld y dagrau'n cronni yn fy llygaid.

"Fydd crio ddim yn cau careiau dy esgidiau, wyddost ti," medd Miss Roberts.

"Fedra i ddim, Miss," meddaf wrthi.

"Dydan ni ddim yn dweud 'fedra i ddim' yn fy nosbarth i, Thomas Griffiths," medd hi. "Mi fydd yn rhaid i ni dy ddysgu di sut i gau dy gareiau, felly. Dyna pam rydan ni i gyd yma, Thomas, i ddysgu. Dyna pam rydan ni'n dod i'r ysgol, yntê?

Dangosa iddo fo, Mair. Mair yw'r ferch hynaf yn fy nosbarth i, Thomas, a'r disgybl gorau. Fe gaiff hi dy helpu di."

Felly wrth iddi alw'r gofrestr mae Mair yn penlinio o'm blaen ac yn clymu careiau fy esgidiau. Mae hi'n eu clymu nhw'n wahanol iawn i Wil, yn ysgafn, yn arafach, mewn cwlwm dolen ddwbl. Dyw hi ddim yn edrych arna i wrth glymu, ddim unwaith, a dwi eisiau iddi wneud. Mae ei gwallt yr un lliw â Bess, hen geffyl Tada – browngoch a sgleiniog – a dwi eisiau estyn fy llaw a chyffwrdd ag e. Yna o'r diwedd mae'n codi ei phen a gwenu arnaf. Dyna'r cyfan dwi eisiau. Yn sydyn dwi ddim eisiau rhedeg adref mwyach. Dwi eisiau aros fan hyn gyda Mair. Dwi'n gwybod bod gen i ffrind.

Amser chwarae, ar y buarth, dwi eisiau mynd draw i siarad â hi, ond alla i ddim achos mae hi wastad ynghanol criw o ferched yn pwffian chwerthin. Maen nhw'n edrych draw arna i dros eu hysgwyddau ac yn chwerthin. Dwi'n chwilio am Wil, ond mae Wil wrthi'n hollti concyrs gyda'i ffrindiau, pob un ohonynt yn Blant Mawr. Dwi'n mynd i eistedd ar hen foncyff coeden. Dwi'n agor careiau fy esgidiau ac yn ceisio eu cau nhw eto gan gofio sut aeth Mair ati. Dwi'n eu hagor a'u cau nhw dro ar ôl tro. Cyn pen dim o dro dwi wedi'i deall hi. Mae'r careiau'n anniben ac yn llac, ond dwi'n gallu eu cau nhw. Y peth gorau yw bod Mair yn gallu gweld o ben draw'r buarth fy mod i'n gallu eu cau nhw ac mae hi'n gwenu arnaf.

Gartref dydyn ni ddim yn gwisgo esgidiau, dim ond i fynd i'r eglwys. Mae Mam yn gwneud, wrth gwrs, ac roedd Tada bob amser yn gwisgo'i esgidiau hoelion mawr, y rhai oedd am ei draed pan fuodd farw. Pan gwympodd y goeden roeddwn i yno yn y goedwig gydag e, dim ond y ddau ohonom ni. Cyn i mi ddechrau mynd i'r ysgol byddai'n aml yn mynd â fi gyda fe i'r gwaith, i'm cadw rhag gwneud drygioni, meddai. Fe fyddwn yn mynd y tu ôl iddo ar gefn Bess ac yn dal yn dynn am ei ganol, a gwasgu fy wyneb yn ei gefn. Pan fyddai Bess yn dechrau carlamu, byddwn wrth fy modd. Carlamon ni'r holl ffordd y bore hwnnw, dringo'r bryn, drwy Goed y Wern. Roeddwn i'n dal i chwerthin pan gododd Tada fi oddi ar Bess.

"Bant â ti, y gwalch bach," meddai. "Cer i gael hwyl."

Does dim rhaid iddo ddweud rhagor. Roedd tyllau moch daear a llwynogod i syllu ynddyn nhw, olion traed ceirw i'w dilyn efallai, blodau i'w casglu, neu ieir bach yr haf i redeg ar eu holau. Ond y bore hwnnw des i o hyd i lygoden, llygoden farw. Dyma fi'n ei chladdu hi o dan bentwr o ddail. Roeddwn i'n gwneud croes bren iddi. Roedd Tada'n torri coed i rythm ar fy mhwys, gan gwyno a griddfan gyda phob ergyd fel arfer. I ddechrau roedd yn swnio fel petai Tada'n griddfan ychydig yn uwch. Dyna roeddwn i'n meddwl oedd y sŵn. Ond wedyn, yn rhyfedd iawn, doedd y sŵn ddim yn dod o'r man lle roedd e, ond o rywle'n uchel yn y canghennau.

Edrychais i fyny a gweld y goeden anferth uwch fy mhen yn siglo pan oedd y coed eraill i gyd yn llonydd. Roedd hi'n gwichian a'r coed eraill i gyd yn dawel. Dim ond yn araf bach y sylweddolais i ei bod hi'n dod i lawr, a phan fyddai hi'n cwympo, y byddai'n cwympo'n union ar fy mhen, fy mod i'n mynd i farw a doedd dim y gallwn wneud am y peth. Sefais yn fy unfan a syllu'n syfrdan wrth weld y goeden yn syrthio'n raddol, fy nghoesau wedi rhewi oddi tanaf, yn methu'n lân â symud.

Dwi'n clywed Tada'n gweiddi: "Tomi! Tomi! Rhed, Tomi!" Ond alla i ddim. Dwi'n gweld Tada'n rhedeg tuag ataf drwy'r coed, a'i grys yn hedfan y tu ôl iddo. Dwi'n ei deimlo'n cyrraedd ac yn fy nhaflu o'r ffordd mewn un symudiad, fel ysgub o wenith. Mae sŵn taranu byddarol yn fy nghlustiau, ac wedyn dim byd.

Pan dwi'n dihuno dwi'n gweld Tada'n syth, yn gweld gwadnau ei esgidiau a'r hoelion wedi'u treulio. Dwi'n mynd draw ar fy mhedwar i'r man lle mae'n gorwedd, wedi'i wasgu i'r llawr o dan gadair ddeiliog y goeden fawr. Mae ar ei gefn, ei wyneb wedi'i droi oddi wrthyf fel pe na bai eisiau i mi ei weld. Mae un fraich yn estyn draw tuag ataf, ei faneg wedi cwympo i'r llawr, ei fys yn pwyntio tuag ataf. Mae gwaed yn dod o'i drwyn ac yn diferu ar y dail. Mae ei lygaid ar agor, ond dwi'n gwybod yn syth nad yw e'n fy ngweld i. Dyw e ddim yn anadlu. Pan dwi'n gweiddi arno, pan dwi'n ei siglo, dyw e ddim yn dihuno. Dwi'n codi ei faneg o'r llawr.

Yn yr eglwys, rydyn ni'n eistedd wrth ymyl ein gilydd yn y côr cyntaf, Mam, Sam Mawr, Wil a fi. Dydyn ni erioed wedi eistedd yn y côr cyntaf o'r blaen. Dyna lle mae'r Cyrnol a'i deulu'n arfer eistedd. Mae'r arch yn gorwedd ar drestlau, a 'nhad y tu mewn iddi yn ei ddillad parch. Mae gwennol yn hedfan yn isel uwch ein pennau drwy'r gweddïau i gyd, drwy'r emynau i gyd, gan wibio o ffenest i ffenest, o'r clochdy i'r allor, yn chwilio am ffordd allan. A dwi'n gwybod i sicrwydd mai Tada sydd yno'n ceisio dianc. Dwi'n gwybod achos dwedodd wrthym fwy nag unwaith y byddai'n hoffi bod yn aderyn yn ei fywyd nesaf, fel y gallai hedfan yn rhydd i'r fan lle mynnai.

Mae Sam Mawr yn pwyntio at y wennol o hyd. Yna'n ddisymwth mae'n codi, yn cerdded i gefn yr eglwys ac yn agor y drws. Ar ôl dod 'nôl mae'n egluro i Mam beth mae wedi'i wneud, yn ei lais uchel. Mae Mam-gu'r Blaidd, sy'n eistedd ar ein pwys yn ei boned ddu, yn gwgu arno, ac ar bob un ohonom. Dyna pryd dwi'n sylweddoli rhywbeth nad oeddwn wedi'i ddeall o'r blaen, sef bod cywilydd arni ei bod hi'n un ohonom ni. Ddeallais i ddim yn iawn pam tan yn nes ymlaen, pan oeddwn i'n hŷn.

Mae'r wennol yn eistedd ar drawst yn uchel uwchben yr arch. Mae'n codi ac yn hedfan i fyny ac i lawr yr eil hyd nes dod o hyd i'r drws agored o'r diwedd a diflannu. A dwi'n gwybod bod Tada'n hapus nawr yn ei fywyd nesaf. Mae Sam Mawr yn chwerthin yn uchel ac mae Mam yn cydio yn ei law. Mae Wil yn dal fy llygad. Yr eiliad honno rydyn ni ein pedwar i gyd yn meddwl yr un peth yn union.

Mae'r Cyrnol yn dringo i'r pulpud i siarad, ac yn cydio yn

llabed ei siaced â'i law. Mae'n cyhoeddi mai dyn da oedd James Griffiths, un o'r gweithwyr gorau a fu ganddo erioed, halen y ddaear, bob amser yn siriol wrth ei waith, bod y Griffithsiaid wedi bod yn gweithio i deulu'r Cyrnol ers pum cenhedlaeth. Fuodd James Griffiths erioed yn hwyr i'w waith yn y deng mlynedd ar hugain y bu'n gweithio fel coediwr ar yr ystâd, ac roedd yn glod i'w deulu a'i bentref. Wrth i'r Cyrnol ddal ati i siarad a siarad dwi'n meddwl am y pethau drwg roedd Tada'n arfer eu dweud amdano – "yr hen rech twp", "y twpsyn dwl" a llawer gwaeth – ac fel roedd Mam bob amser wedi dweud wrthym efallai ei fod yn "hen rech twp" neu'n "dwpsyn dwl", ond mai'r Cyrnol oedd yn talu cyflog Tada ac yn berchen ar y to uwch ein pennau, ac y dylem ni'r plant ddangos parch wrth gyfarfod ag ef, drwy wenu a chyffwrdd â'n talcen, ac y dylem edrych fel petaem ni o ddifrif, os oedden ni'n gwybod beth oedd er ein lles ni.

Wedyn mae pawb yn ymgasglu o gwmpas y bedd ac mae Tada'n cael ei ollwng i lawr, ac mae'r ficer yn siarad yn ddiddiwedd. Dwi eisiau i Tada glywed yr adar am y tro olaf cyn i'r pridd gau ar ei ben a does ganddo ddim ar ôl ond tawelwch. Mae Tada'n dwlu ar yr ehedydd, yn dwlu eu gweld nhw'n codi, yn codi mor uchel fel mai dim ond eu cân sydd i'w gweld. Dwi'n edrych i fyny gan obeithio gweld ehedydd, ac mae aderyn du'n canu ar gangau'r ywen. Bydd yn rhaid i'r aderyn du wneud y tro … dwi'n clywed Mam yn sibrwd wrth Sam Mawr nad yw Tada yn ei arch nawr, ond i fyny fry yn y nefoedd – mae hi'n pwyntio i'r awyr y tu hwnt i dŵr yr eglwys – a'i fod e'n hapus, yn hapus fel yr adar.

Mae'r pridd yn cwympo'n drwm ar yr arch y tu ôl i ni wrth i ni symud yn araf i ffwrdd, a'i adael. Rydyn ni'n cerdded adref gyda'n gilydd ar hyd y lonydd dwfn. Mae Sam Mawr yn casglu bysedd y cŵn a gwyddfid, gan lenwi dwylo Mam â blodau, a does dim dagrau i'w llefain na geiriau i'w dweud gan yr un ohonom. Gennyf i'n llai na neb. Oherwydd mae gen i gyfrinach mor erchyll, cyfrinach na allaf ei hyngan wrth neb, ddim wrth Wil hyd yn oed. Doedd dim angen i Tada farw'r bore hwnnw yng Nghoed y Wern. Ceisio fy achub i roedd e. Petawn i ond wedi ceisio achub fy hunan, petawn i wedi rhedeg, fyddai e ddim yn gorwedd yn farw yn ei arch nawr. Wrth i Mam symud ei llaw dros fy ngwallt ac wrth i Sam Mawr gynnig rhagor o fysedd y cŵn iddi, y cyfan y gallaf feddwl amdano yw mai fi oedd achos hyn i gyd.

Dwi wedi lladd fy nhad fy hun.

UGAIN MUNUD I UN AR DDEG

Dwi ddim eisiau bwyta. Stiw, tatws a bisgedi. Dwi'n hoffi'r stiw fel arfer, ond does gen i ddim awydd bwyta dim. Dwi'n cnoi darn o fisged, ond dwi ddim eisiau honno chwaith. Dim nawr. Lwcus nad yw Mam-gu'r Blaidd yma. Roedd hi bob amser yn casáu ein gweld ni'n gadael bwyd ar ôl ar ein platiau. "Peidiwch â gwastraffu bwyd da," dyna fyddai hi'n ei ddweud. Dwi'n gwastraffu hwn, Mam-gu'r Blaidd, beth bynnag rydych chi'n ei feddwl.

* * *

Roedd Sam Mawr yn bwyta mwy na'r gweddill ohonom ni gyda'n gilydd. Roedd wrth ei fodd gyda phob math o fwyd – pwdin bara, pastai tatws, caws a phicl, cawl cennin – beth bynnag y byddai Mam yn ei goginio, byddai'n ei wthio i'w geg ac yn ei lowcio. Os nad oedd Wil a fi'n hoffi rhywbeth, byddem ni'n ei roi ar ei blât pan nad oedd Mam yn edrych. Roedd Sam Mawr yn dwlu ar y cynllwynio, ac ar y bwyd ychwanegol hefyd. Doedd dim byd na fyddai'n ei fwyta. Pan oeddem ni'n fach, cyn i ni wybod yn well, mentrodd Wil benglog tylluan y byddai Sam Mawr yn bwyta baw cwningen, hyd yn oed. Allwn i ddim credu y byddai'n gwneud hynny, achos roeddwn i'n meddwl yn siŵr bod Sam Mawr yn gwybod beth oedd e. Felly dyma fi'n mentro.

Rhoddodd Wil lond dwrn o faw cwningen mewn bag papur a dweud wrtho mai losin oedden nhw. Dyma Sam Mawr yn tynnu'r peli bach crwn o'r bag ac yn eu rhoi yn ei geg, gan fwynhau pob un ohonynt. A phan chwarddon ni, chwarddodd yntau hefyd a chynnig un bob un i ni. Ond dywedodd Wil mai anrheg iddo fe'n unig oedden nhw. Roeddwn i'n poeni y gallai Sam Mawr fynd yn sâl ar ôl hynny, ond wnaeth e ddim.

Dywedodd Mam wrthym pan oeddem ni'n hŷn fod Sam Mawr bron wedi marw ychydig ddyddiau ar ôl iddo gael ei eni. Llid yr ymennydd, medden nhw wrthi yn yr ysbyty. Dywedodd y meddyg fod Sam wedi cael niwed i'w ymennydd, na fyddai e'n dda i ddim i neb, hyd yn oed petai'n byw. Ond byw wnaeth Sam Mawr, a gwella, er na wellodd yn llwyr. Wrth i ni dyfu, y cyfan a wyddem ni oedd ei fod yn wahanol. Doedd dim ots gyda ni nad oedd e'n gallu siarad yn dda iawn, na allai ddarllen neu ysgrifennu o gwbl, nad oedd yn meddwl fel ni, fel pobl eraill. Sam Mawr oedd e i ni, dyna i gyd. Roedd yn codi ofn arnom ni weithiau. Byddai'n mynd i'w fyd bach ei hunan, byd o hunllefau roeddwn i'n meddwl, oherwydd weithiau byddai'n drist ac wedi cynhyrfu drosto. Ond yn hwyr neu'n hwyrach byddai'n dod 'nôl atom bob amser ac yn troi'n fe ei hunan eto, y Sam Mawr roeddem ni i gyd yn ei adnabod, y Sam Mawr oedd yn dwlu ar bawb a phopeth, yn enwedig anifeiliaid ac adar a blodau, yn ymddiried ym mhawb, yn maddau pob peth – hyd yn oed pan ddaeth i wybod mai baw cwningen oedd ei losin.

Ces i a Wil helynt mawr o achos hynny. Fyddai Sam Mawr

byth wedi dod i wybod, ddim ar ei ben ei hun. Ond, ac yntau'n hael fel arfer, aeth i gynnig darn o'r baw cwningen i Mam. Aeth hi'n wyllt gacwn a finnau'n meddwl y byddai'n ffrwydro. Rhoddodd fys yng ngheg Sam Mawr, tynnu'r darnau oedd yn dal yno a gwneud iddo olchi ei geg yn lân. Wedyn gorfododd hi Wil a fi i fwyta un darn o faw cwningen yr un er mwyn i ni wybod pa fath o flas oedd arno.

"Ofnadwy, on'd yw e?" meddai. "Bwyd ofnadwy i blant ofnadwy. Peidiwch â thrin Sam Mawr fel yna byth eto."

Roeddem ni'n teimlo cywilydd mawr – am dipyn o leiaf. Fyth ers hynny, os bydd rhywun yn sôn am gwningod, bydd Wil a minnau'n gwenu ar ein gilydd ac yn cofio. Dwi'n gwenu nawr, wrth feddwl am y peth. Ddylwn i ddim, ond dyna ni.

Mewn ffordd, roedd ein bywydau ni gartref wastad yn troi o gwmpas Sam Mawr. Roeddem ni'n barnu pobl i raddau helaeth wrth y ffordd roeddent yn ymddwyn tuag at ein brawd mawr. Roedd y peth yn ddigon syml: os nad oedd pobl yn ei hoffi, neu'n ddifater, neu'n ei drin fel petai'n dwp, yna fyddem ni ddim yn eu hoffi nhw. Roedd y rhan fwyaf o'r bobl o'n cwmpas ni'n gyfarwydd ag ef, ond byddai rhai'n edrych draw, neu'n waeth fyth, yn esgus nad oedd e yno o gwbl. Roedd hyn yn codi ein gwrychyn yn fwy na dim. Doedd Sam Mawr ddim fel petai'n hidio, ond roeddem ni'n gwneud hynny ar ei ran – fel y diwrnod pan fuon ni'n gwneud sŵn rhech ar y Cyrnol.

Roedd pawb gartref wastad yn lladd ar y Cyrnol … pawb ond Mam-gu'r Blaidd, wrth gwrs. Bob tro y byddai hi'n dod i ymweld â ni, fyddai neb yn cael dweud dim byd cas amdano. Byddai hi a Tada'n cweryla'n ofnadwy yn ei gylch. Pan oeddem ni'n tyfu i fyny, roeddem ni'n meddwl mai "hen rech twp" oedd e, ar y cyfan. Ond o achos Sam Mawr y gwelais am y tro cyntaf pa fath o ddyn oedd y Cyrnol mewn gwirionedd.

Un noson roedd Wil a Sam Mawr a minnau'n dod adref ar hyd y lôn. Roeddem ni wedi bod yn pysgota brithyllod brown yn y nant. Roedd Sam Mawr wedi dal tri, wedi'u goglais i gysgu yn y dŵr bas ac yna wedi'u codi i'r lan cyn iddynt sylweddoli beth oedd wedi digwydd. Roedd e'n dda am wneud hynny. Roedd e bron fel petai'n gwybod beth roedd y pysgod yn ei feddwl. Ond doedd e ddim yn hoffi eu lladd nhw, na finnau chwaith. Roedd yn rhaid i Wil wneud hynny.

Roedd Sam Mawr bob amser yn dweud helô'n uchel, wrth bawb. Dyna sut un oedd e. Felly pan aeth y Cyrnol heibio ar ei geffyl y noson honno, gwaeddodd Sam Mawr helô, a chodi ei frithyllod yn falch i ddangos iddo. Dyma'r Cyrnol yn trotian heibio fel petai heb ein gweld ni o gwbl. Ar ôl iddo fynd heibio gwnaeth Wil sŵn rhech, a dyma Sam Mawr yn gwneud hefyd gan ei fod yn hoffi synau drwg. Ond y drafferth oedd bod Sam Mawr yn mwynhau ei hunan cymaint yn gwneud sŵn rhech fel nad oedd e'n gallu stopio. Ffrwynodd y Cyrnol ei geffyl ac edrych yn gas iawn arnom ni. Am eiliad roeddwn i'n meddwl ei fod e'n mynd i ddod ar ein holau ni. Drwy lwc, wnaeth e ddim, ond cododd ei chwip a'i chlecian. "Fe ddysga i wers i chi, y cnafon bach!" rhuodd. "Fe ddysga i wers i chi!"

Dwi wastad wedi meddwl mai dyna'r eiliad pan ddechreuodd y Cyrnol ein casáu ni, a'i fod yn benderfynol o ddial arnom o hynny ymlaen. Rhedon ni'r holl ffordd adref. Bob tro y bydd rhywun yn taro rhech neu'n gwneud sŵn rhech, dwi bob amser yn meddwl am gwrdd â'r Cyrnol yn y lôn, am fel mae Sam Mawr bob amser yn chwerthin am ben synau drwg, gan hollti ei fola'n chwerthin. Dwi'n meddwl hefyd am yr olwg fygythiol yn llygad y Cyrnol a'i chwip yn clecian. Efallai bod ein bywydau wedi newid am byth oherwydd i Sam Mawr wneud sŵn rhech arno'r noson honno.

O achos Sam Mawr y bûm yn ymladd am y tro cyntaf hefyd. Roedd llawer o ymladd yn digwydd yn yr ysgol, ond doedd dim llawer o siâp arnaf i ac yn aml roedd fy ngwefus wedi chwyddo neu fy nghlust yn gwaedu. Dysgais yn ddigon cyflym os wyt ti am beidio cael dolur bod yn rhaid cadw dy ben i lawr a pheidio ag ateb 'nôl, yn enwedig os yw'r bachgen arall yn fwy na ti. Ond un diwrnod sylweddolais fod yn rhaid dal dy dir ac ymladd dros yr hyn sy'n iawn, hyd yn oed pan nad wyt ti eisiau gwneud hynny.

Amser chwarae oedd hi. Daeth Sam Mawr i'r ysgol i weld Wil a fi. Dim ond sefyll a'n gwylio ni o'r tu allan i glwyd yr ysgol roedd e. Roedd e'n gwneud hynny'n aml pan aeth Wil a fi i'r ysgol gyda'n gilydd am y tro cyntaf – dwi'n credu ei fod e'n teimlo'n unig gartref hebom ni. Rhedais draw ato. Roedd ei anadl yn ei ddwrn, a'i lygaid yn loyw gan gyffro. Roedd ganddo rywbeth i'w ddangos i mi. Cilagorodd gwpan ei ddwylo er mwyn i mi allu gweld. Roedd neidr ddefaid yn dorch rhwng ei ddwylo. Roeddwn i'n gwybod o ble roedd e wedi'i chael hi – o'r fynwent, ei hoff fan hela. Bob tro y byddem ni'n mynd i roi blodau ar fedd Tada, byddai Sam Mawr yn crwydro ar ei ben ei hun, yn chwilio am ragor o greaduriaid i'w hychwanegu at ei gasgliad; hynny yw, pan na fyddai'n sefyll yno'n syllu ar y tŵr ac yn canu *Si-so, jac-y-do* nerth ei ben ac yn gwylio'r gwenoliaid yn sgrechian o amgylch tŵr yr eglwys. Doedd dim byd yn rhoi mwy o bleser iddo na hynny.

Roeddwn i'n gwybod y byddai Sam Mawr yn rhoi ei neidr ddefaid gyda'i greaduriaid eraill i gyd. Roedd yn eu cadw mewn blychau yng nghefn y sied gartref – madfallod, draenogod, pob math o bethau. Rhedais fy mys yn ysgafn ar hyd y neidr ddefaid, a dweud ei bod hi'n hyfryd, ac roedd hi hefyd. Wedyn i ffwrdd ag ef, gan gerdded i lawr y lôn dan hymian *Si-so, jac-y-do* wrth fynd, a syllu i lawr mewn rhyfeddod ar ei annwyl neidr ddefaid.

Wrth i mi ei wylio'n mynd, dyma rywun yn rhoi pwt caled i mi ar fy ysgwydd, yn ddigon caled i mi gael dolur. Gwilym Powell mawr sydd yno. Mae Wil yn aml wedi fy rhybuddio amdano, wedi dweud wrthyf am gadw draw oddi wrtho. "Pwy sydd â brawd hanner call a dwl?" medd Gwilym Powell, a gwenu'n gam arnaf.

Alla i ddim credu'r hyn a ddywedodd, ddim i ddechrau. "Beth ddwedaist ti?"

"Mae dy frawd yn hanner call a dwl, yn hanner pan, dyw e ddim yn llawn llathen, dyw e ddim wedi bod ym mhen pella'r ffwrn."

Dyma fi'n ymosod arno, a'm dyrnau'n hedfan, gan sgrechian arno, ond does dim un ergyd yn ei daro. Mae e'n fy nharo'n syth yn fy wyneb ac yn fy llorio. Yn sydyn dwi ar y llawr, yn sychu'r gwaed sy'n llifo o'm trwyn ac yn edrych ar y gwaed ar gefn fy llaw. Wedyn mae e'n dechrau fy nghicio, yn galed. Dwi'n mynd yn belen fel draenog i'm hamddiffyn fy hunan, ond dyw hynny ddim fel petai'n gwneud llawer o les i mi. Mae'n dal ati i'm cicio ar fy nghefn, ar fy nghoesau, ble bynnag y gall e. Wrth iddo roi'r gorau iddi o'r diwedd, dwi'n meddwl tybed pam mae e wedi stopio.

Dwi'n edrych i fyny ac yn gweld Wil yn cydio am ei wddf a'i dynnu i'r llawr. Maen nhw'n rholio dro ar ôl tro, yn bwrw ei gilydd ac yn rhegi. Mae'r ysgol gyfan wedi ymgasglu i'w gwylio nhw nawr, yn eu hannog nhw. Dyna pryd mae Mr Morris yn rhedeg allan o'r ysgol, yn rhuo fel tarw gwyllt. Mae'n eu tynnu nhw ar wahân, ac yn eu llusgo wysg eu coleri i mewn i'r ysgol. Drwy lwc, sylwodd Mr Morris ddim arnaf i'n eistedd yno, yn gwaedu. Mae Wil yn cael y gansen, a Gwilym Powell hefyd – chwe chlec yr un. Felly mae Wil yn fy achub ddwywaith y diwrnod hwnnw. Mae'r gweddill ohonom yn sefyll yn y buarth heb wneud siw na miw, yn gwrando ar y cleciadau ac yn eu cyfri nhw. Gwilym Powell sy'n ei chael hi gyntaf, ac mae e'n gweiddi: "Aw, syr! Aw, syr! Aw, syr!" Ond pan ddaw tro Wil, dim ond y cleciadau rydyn ni'n eu clywed, a'r tawelwch rhyngddynt. Dwi mor falch ohono. Fy mrawd i yw'r bachgen dewraf yn y byd.

Mae Mair yn dod draw, yn cydio yn fy llaw, ac yn fy arwain at y pwmp. Mae'n gwlychu ei hances oddi tano ac yn sychu fy nhrwyn a'm dwylo a'm pen-glin – mae'r gwaed fel petai'n llifo dros bob man. Mae'r dŵr yn rhyfeddol o oer a hyfryd, ac mae ei dwylo'n feddal. Dyw hi ddim yn dweud dim am dipyn. Mae'n symud ei hances yn dyner iawn, yn ofalus iawn, rhag ofn fy mrifo. Yna'n sydyn mae'n dweud: "Dwi'n hoffi Sam Mawr. Mae e'n garedig. Dwi'n hoffi pobl sy'n garedig."

Mae Mair yn hoffi Sam Mawr. Nawr dwi'n gwybod i sicrwydd y byddaf yn ei charu hi tra byddaf byw.

Ar ôl ychydig daeth Wil allan i'r buarth gan godi ei drowsus i fyny a gwenu yn yr heulwen. Roedd pawb yn griw o'i amgylch.

"Gest ti ddolur, Wil?"

"Ble cest ti hi, Wil, ar gefn dy bengliniau neu ar dy ben-ôl?"

Ddwedodd Wil ddim gair wrthynt. Cerddodd heibio i bawb a dod yn syth draw ataf i a Mair. "Wnaiff e ddim byd i ti eto, Tomi," meddai. "Fe rois i ergyd iddo lle mae'n brifo, yn ei gerrig." Cododd fy ngên a syllu ar fy nhrwyn. "Wyt ti'n iawn, Tomi?"

"Mae'n brifo ychydig," meddwn wrtho.

"A 'mhen-ôl innau hefyd," meddai Wil.

Chwarddodd Mair wedyn, a minnau hefyd. A Wil hefyd, a'r ysgol i gyd.

O'r eiliad honno ymlaen, daeth Mair yn un ohonom ni. Roedd hi'n union fel petai newydd ymuno â'n teulu ni ac wedi dod yn chwaer i ni. Pan ddaeth Mair adref gyda ni'r prynhawn hwnnw rhoddodd Sam Mawr dusw o flodau roedd wedi'u casglu iddi, a bu Mam yn ei thrin fel y ferch nad oedd hi erioed wedi'i chael. Wedi hynny, byddai Mair yn dod adref gyda ni bron bob prynhawn. Roedd hi fel petai eisiau bod gyda ni drwy'r amser. Ddaethon ni ddim i wybod pam am amser maith. Dwi'n cofio bod Mam yn hoffi brwsio gwallt Mair. Roedd hi wrth ei bodd yn gwneud hynny a ninnau wrth ein bodd yn ei gwylio hi.

Mam. Dwi'n meddwl amdani mor aml. Ac wrth feddwl amdani, dwi'n meddwl am gloddiau uchel a lonydd dwfn a cherdded i lawr at yr afon gyda'n gilydd gyda'r nos. Dwi'n meddwl am flodau gwyllt: erwain a gwyddfid a blodyn neidr a bysedd y cŵn a ffacbys a rhosod gwyllt. Doedd dim un blodyn gwyllt neu iâr fach yr haf na allai Mam eu henwi. Roeddwn i'n dwlu ar sŵn eu henwau pan oedd hi'n eu dweud nhw: mantell goch, mantell paun, gwyn mawr, glesyn bach. Ei llais hi dwi'n ei glywed yn fy mhen nawr. Wn i ddim pam, ond mae'n haws i mi ei chlywed hi na dychmygu ei gweld. Mae'n debyg mai o achos Sam Mawr roedd hi wastad yn siarad, wastad yn egluro'r byd o'n cwmpas. Hi oedd ei dywysydd, ei ddehonglydd, ei athrawes.

Doedd Sam Mawr ddim yn cael dod i'r ysgol. Dywedodd Mr Morris ei fod yn blentyn araf. Doedd e ddim yn araf o gwbl. Roedd e'n wahanol, yn "arbennig", dyna roedd Mam yn arfer ei ddweud, ond doedd e ddim yn araf. Roedd angen help arno, dyna i gyd, a Mam oedd yn rhoi'r help hwnnw. Roedd fel petai Sam Mawr yn ddall mewn rhyw ffordd. Gallai weld yn iawn, ond yn aml iawn doedd e ddim fel petai'n deall yr hyn roedd e'n ei weld. Ac roedd e bron â marw eisiau deall. Felly byddai Mam byth a hefyd yn dweud wrtho sut a pham roedd pethau fel roedden nhw. A byddai'n aml yn canu iddo hefyd, oherwydd bod hynny'n ei wneud yn hapus ac yn ei dawelu pan fyddai'n cael pwl bach ac yn dechrau teimlo'n bryderus a thrist. Byddai'n canu i Wil a minnau hefyd, achos ei bod hi'n arfer gwneud, dwi'n meddwl. Ond roeddem ni'n dwlu ar ei chanu, yn dwlu ar sŵn ei llais. Ei llais hi oedd cerddoriaeth ein plentyndod.

Ar ôl i Tada farw daeth y gerddoriaeth i ben. Roedd Mam yn dawel a llonydd nawr, a'r tŷ'n drist. Roedd gen i gyfrinach erchyll, cyfrinach na allwn i fyth ei hanghofio. Felly, oherwydd fy mod i'n teimlo'n euog, dechreuais fwynhau fy nghwmni fy hun. Doedd Sam Mawr braidd byth yn chwerthin. Adeg prydau bwyd roedd y gegin fel petai'n ofnadwy o wag heb Tada, heb ei gorff mawr a'i lais yn llenwi'r ystafell. Doedd ei got waith frwnt ddim yn hongian yn y cyntedd rhagor, a dim ond braidd gallu arogli mwg ei bib roeddem ni. Roedd e wedi mynd ac roeddem ni i gyd yn galaru amdano yn ein ffyrdd ein hunain.

Roedd Mam yn dal i siarad â Sam Mawr, ond ddim cymaint ag o'r blaen. Roedd yn rhaid iddi siarad ag ef, oherwydd mai hi oedd yr unig un oedd wir yn deall ystyr yr holl duchan a gwichian a oedd gan Sam Mawr yn lle iaith. Roedd Wil a minnau'n deall peth ohono, weithiau, ond roedd Mam fel petai'n deall popeth roedd e eisiau ei ddweud, weithiau cyn iddo ei ddweud, hyd yn oed. Roedd rhyw gysgod drosti, gallai Wil a minnau weld hynny, ac nid cysgod marwolaeth Tada'n unig. Roeddem ni'n siŵr fod rhywbeth arall roedd hi'n gwrthod siarad amdano, rhywbeth roedd hi'n ei guddio oddi wrthym. Fuom ni ddim yn hir cyn dod i wybod beth oedd e.

Roeddem ni gartref ar ôl ysgol yn cael te – roedd Mair yno hefyd – pan ddaeth cnoc ar y drws. Roedd Mam fel petai'n gwybod yn syth pwy oedd yno. Cymerodd amser i baratoi, gan lyfnhau ei ffedog a threfnu ei gwallt cyn agor y drws. Y Cyrnol oedd yno. "Gair bach, os gwelwch yn dda, Mrs Griffiths," meddai. "Dwi'n credu eich bod chi'n gwybod pam rydw i yma."

Dywedodd Mam wrthym am orffen bwyta te, caeodd y drws a mynd allan i'r ardd gydag ef. Gadawodd Wil a minnau Mair a Sam Mawr wrth y bwrdd a rhuthro allan o'r drws cefn. Neidion ni dros y llysiau, rhedeg ar hyd y clawdd, cropian ar ein pedwar y tu ôl i'r sied a gwrando. Roeddem ni'n ddigon agos i glywed pob gair.

"Efallai ei bod hi ychydig yn ansensitif i godi'r pwnc mor fuan ar ôl marwolaeth drist a sydyn eich gŵr," meddai'r Cyrnol. Doedd e ddim yn edrych ar Mam wrth siarad, ond ar ei het silc wrth iddo redeg ei lawes drosti. "Ond mae'n rhaid meddwl am y bwthyn. A bod yn fanwl gywir, wrth gwrs, Mrs Griffiths, does gennych chi ddim hawl i fyw yma bellach. Rydych chi'n gwybod yn iawn, dwi'n credu, bod y bwthyn ynghlwm wrth waith eich diweddar ŵr ar yr ystâd. Wrth gwrs, ac yntau bellach wedi marw …"

"Dwi'n deall beth ry'ch chi'n ddweud, Cyrnol," meddai Mam. "Ry'ch chi eisiau i ni fynd o'r bwthyn."

"Wel, fyddwn i ddim yn dweud hynny'n union. Dwi ddim eisiau i chi fynd, Mrs Griffiths, ddim os gallwn ni ddod i ryw drefniant arall."

"Trefniant? Pa fath o drefniant?" gofynnodd Mam.

"Wel," aeth y Cyrnol ymlaen, "fel mae'n digwydd, mae swydd yn y tŷ a allai fod yn addas i chi. Mae morwyn fy ngwraig newydd gyflwyno'i notis. Fel y gwyddoch chi, dydy fy ngwraig ddim yn iach. Y dyddiau hyn mae hi'n treulio'r rhan fwyaf o'i hamser mewn cadair olwyn. Mae angen gofal a sylw cyson arni, saith niwrnod yr wythnos."

"Ond mae plant gyda fi," protestiodd Mam. "Pwy fyddai'n gofalu am y plant?"

Oedodd y Cyrnol am ennyd cyn ateb. "Mae'r ddau fachgen yn ddigon hen nawr i ofalu amdanynt eu hunain, dybiwn i. Ac am y llall, mae seilam yng Nghaerfyrddin. Dwi'n siŵr y gallwn i drefnu bod lle i –"

Torrodd Mam ar ei draws; prin roedd hi'n gallu ffrwyno'i thymer, ac roedd ei llais yn oer ond yn dal yn llonydd. "Allwn i byth â gwneud hynny, Cyrnol. Byth. Ond os ydw i am gadw to uwch ein pennau, rhaid i mi ddod o hyd i ffordd o weithio fel morwyn i'ch gwraig. Dyna rydych chi'n ei ddweud wrtha i, yntê."

"Fe ddwedwn i eich bod chi'n deall y sefyllfa'n berffaith, Mrs Griffiths. Allwn i ddim bod wedi mynegi'r peth yn well fy hun. Bydd angen i mi wybod cyn pen yr wythnos a ydych chi'n cytuno ai peidio. Dydd da i chi, Mrs Griffiths. A chydymdeimlad mawr unwaith eto."

Gwylion ni'r Cyrnol yn mynd, gan adael Mam yn sefyll yno. Doeddwn i erioed wedi ei gweld hi'n crio o'r blaen, ond dyna wnaeth hi nawr. Cwympodd ar ei phengliniau yn y borfa hir gan ddal ei phen yn ei dwylo. Dyna pryd daeth Sam Mawr a Mair o'r bwthyn. Pan welodd Sam Mawr Mam, rhedodd a phenlinio wrth ei hymyl, gan ei chofleidio a'i siglo'n dyner yn ei freichiau, a chanu *Si-so, jac-y-do* tan iddi ddechrau chwerthin drwy ei dagrau a chanu gydag ef. Wedyn dyma ni i gyd yn canu gyda'n gilydd, yn uchel a herfeiddiol fel na allai'r Cyrnol beidio â'n clywed ni.

Wedyn, ar ôl i Mair fynd adref, roedd Wil a minnau'n eistedd yn dawel yn y berllan. Bu bron i mi ddweud fy nghyfrinach wrtho'r adeg honno. Roeddwn i bron â marw eisiau gwneud. Ond allwn i ddim. Roeddwn i'n meddwl efallai na fyddai e byth yn siarad â mi eto petawn i'n gwneud. Aeth yr eiliad heibio. "Dwi'n casáu'r dyn yna," meddai Wil o dan ei anadl. "Fe ladda i fe, Tomi. Un dydd fe ladda i fe, wir i ti."

Wrth gwrs, doedd gan Mam ddim dewis. Roedd yn rhaid

iddi dderbyn y swydd, a dim ond un perthynas oedd gennym i droi ati i gael help, sef Mam-gu'r Blaidd. Symudodd hi i mewn yr wythnos ganlynol i ofalu amdanom. Nid ein mam-gu go-iawn ni oedd hi – roedd ein dwy fam-gu wedi marw. Modryb Mam oedd hi, ond roedd hi wastad yn mynnu ein bod ni'n ei galw hi'n "Mam-gu" achos ei bod hi'n meddwl bod yr enw Hen Fodryb yn gwneud iddi swnio'n hen a blin, fel roedd hi bob amser. Doedden ni ddim wedi ei hoffi cyn iddi ddod i fyw atom ni – oherwydd ei mwstás yn fwy na dim – ac ar ôl iddi symud atom roeddem ni ei hoffi hi hyd yn oed yn llai. Roedd pawb ohonom yn gwybod ei stori; fel roedd hi wedi bod yn gweithio yn y Plas i'r Cyrnol am flynyddoedd yn cadw tŷ iddo, ond nad oedd gwraig y Cyrnol yn gallu ei dioddef hi am ryw reswm. Roedden nhw wedi cweryla'n gas, ac yn y diwedd bu'n rhaid iddi adael a mynd i fyw i'r pentref. Dyna pam roedd hi'n rhydd i ddod i ofalu amdanom ni.

Ond, yn dawel bach, doedd Wil a minnau erioed wedi ei galw hi'n Hen Fodryb neu'n Fam-gu. Roedd gennym ein henw arbennig ein hunain arni. Pan oeddem ni'n iau roedd Mam yn aml yn darllen *Hugan Fach Goch* i ni. Roedd llun yn y llyfr roedd Wil a minnau'n hen gyfarwydd ag ef – llun o'r blaidd yn y gwely'n esgus bod yn fam-gu i Hugan Fach Goch. Roedd boned ddu am ei phen, un fel roedd ein "Mam-gu" ni'n arfer ei gwisgo, ac roedd ganddi ddannedd mawr a bylchau rhyngddynt, yn union fel ein "Mam-gu" ni hefyd. Felly ers cyn cof roeddem ni wedi ei galw hi'n "Mam-gu'r Blaidd" – ond byth yn ei hwyneb, wrth gwrs. Roedd Mam yn dweud nad oeddem ni'n dangos parch ati, ond yn dawel bach dwi'n credu ei bod hi'n eithaf hoff o'r enw.

Cyn hir, nid oherwydd y llyfr yn unig roeddem ni'n meddwl amdani fel Mam-gu'r Blaidd. Fuodd hi ddim yn hir yn dangos i ni pwy oedd y bòs nawr bod Mam oddi cartref drwy'r dydd. Roedd yn rhaid i bopeth fod yn berffaith: dwylo glân, gwallt wedi'i gribo, dim siarad â cheg lawn, dim gadael bwyd ar ôl ar y plât. Peidiwch â gwastraffu dim, meddai. Doedd hynny ddim mor wael. Daethon ni'n gyfarwydd â hynny. Ond allem ni ddim maddau iddi am fod mor gas wrth Sam Mawr. Roedd hi'n siarad ag ef, ac amdano, fel petai'n dwp neu'n ddwl. Roedd hi'n ei drin fel babi. Roedd hi wastad yn sychu ei geg drosto, neu'n dweud wrtho am beidio â chanu wrth y bwrdd. Pan brotestiodd Mair unwaith, rhoddodd slap iddi a'i hanfon adref. Roedd hi'n taro Sam Mawr hefyd, pan na fyddai'n ufuddhau iddi – hynny yw, yn aml. Wedyn byddai e'n dechrau siglo a siarad â'i hunan, sef yr hyn roedd e wastad yn ei wneud pan oedd e'n drist. Ond nawr doedd Mam ddim yno i ganu iddo, i'w dawelu. Byddai Mair yn siarad ag ef, a byddem ninnau'n ceisio gwneud hefyd, ond doedd hynny ddim yr un fath.

O'r diwrnod y symudodd Mam-gu'r Blaidd i fyw atom, newidiodd ein byd ni'n llwyr. Byddai Mam yn mynd i weithio yn y Plas gyda'r wawr, cyn i ni fynd i'r ysgol, a doedd hi ddim yno pan oeddem ni'n cyrraedd adref i de. Yn lle hynny, Mam-gu'r Blaidd fyddai yno, wrth ddrws y bwthyn a oedd bellach yn ffau iddi hi. A byddai Sam Mawr, nad oedd hi'n gadael iddo grwydro fel roedd e'n dwlu ar wneud, yn rhuthro atom ni fel petai heb ein gweld ers wythnosau. Byddai e'n rhuthro at Mam pan ddeuai adref, ond roedd hi'n aml mor flinedig fel mai prin y gallai siarad ag ef. Gallai Mam weld beth oedd yn digwydd, ond doedd dim y gallai hi wneud am y peth. Roeddem ni i gyd yn teimlo ein bod ni'n ei cholli hi, fel petai hi'n cael ei disodli a'i gwthio i'r naill ochr.

Mam-gu'r Blaidd oedd yn gwneud y siarad i gyd nawr, a byddai hyd yn oed yn dweud wth Mam beth ddylai ei wneud yn ei chartref ei hun. Roedd hi wastad yn sôn nad oedd Mam wedi ein magu ni'n iawn, nad oeddem ni'n gwybod sut i ymddwyn, nac yn gwybod y gwahaniaeth rhwng da a drwg – ac y gallai Mam fod wedi priodi'n well. "Fe ddwedais i ar y pryd a dwi wedi dweud wrthi byth ers hynny," byddai'n brygowthan, "fe allai hi fod wedi priodi rhywun llawer gwell. Ond a wrandawodd hi? O na. Roedd yn rhaid iddi briodi'r dyn cyntaf i droi ei phen, a hwnnw'n ddim byd ond coediwr. Fe allai hi fod wedi cael bywyd gwell, a gŵr o ddosbarth uwch. Siopwyr oeddem ni – yn rhedeg siop hyfryd, i chi gael gwybod – ac yn gwneud elw da hefyd. Busnes mawr, wyddoch chi. Ond na, roedd hi'n mynnu. Fe dorrodd hi galon eich tad-cu, do'n wir i chi. A nawr edrychwch beth yw ei gwaith hi: morwyn i wraig y Cyrnol, yn ei hoedran hi. Trafferth. Dim ond trafferth fuodd eich Mam o'r diwrnod pan aned hi."

Roeddem ni ar dân eisiau i Mam roi pryd o dafod iddi, ond

ildio y byddai hi bob tro, yn wylaidd, bron wedi blino gormod i wneud dim mwy. Roedd Wil a minnau'n teimlo ei bod hi wedi troi'n berson gwahanol. Doedd dim chwerthin yn ei llais, dim golau yn ei llygaid. A gydol yr amser roeddwn i'n gwybod yn iawn pwy oedd ar fai am fod hyn i gyd wedi digwydd, bod Tada wedi marw, bod Mam wedi gorfod mynd i weithio yn y Plas, a bod Mam-gu'r Blaidd wedi symud i mewn a chymryd ei lle.

Weithiau gyda'r nos gallem glywed Mam-gu'r Blaidd yn chwyrnu yn y gwely, a byddai Wil a minnau'n creu stori am y Cyrnol a Mam-gu'r Blaidd; sut byddem ni un diwrnod yn mynd i'r Plas ac yn gwthio gwraig y Cyrnol i'r llyn a'i boddi, ac yna byddai Mam yn gallu dod adref a bod gyda ni a Sam Mawr a Mair, a byddai popeth fel roedd e o'r blaen. Yna gallai'r Cyrnol a Mam-gu'r Blaidd briodi a byw'n anhapus byth wedyn, ac oherwydd eu bod nhw mor hen gallen nhw gael llawer o blant fel bwystfilod a oedd eisoes yn hen a chrychlyd gyda bylchau rhwng eu dannedd: y merched â mwstás fel Mam-gu'r Blaidd, a'r bechgyn â locsyn fel y Cyrnol.

Dwi'n cofio fy mod i'n arfer cael hunllefau'n llawn o'r bwystfilod o blant yma, ond pa hunllef bynnag y byddwn yn ei chael, yr un fyddai ei diwedd. Byddwn i allan yn y goedwig gyda Tada a byddai'r goeden yn cwympo, a minnau'n gweiddi wrth ddihuno. Wedyn byddai Wil yno wrth fy ymyl, a byddai popeth yn iawn unwaith eto. Roedd Wil bob amser yn gwneud i bopeth fod yn iawn unwaith eto.

BRON YN CHWARTER WEDI UN AR DDEG

Mae llygoden yma gyda mi. Mae hi'n eistedd yng ngolau'r lamp, ac yn edrych i fyny arnaf. Mae hi fel petai wedi synnu cymaint â mi. Dyna hi'n mynd. Dwi'n dal i'w chlywed hi, yn crafu yn rhywle o dan y das wair. Dwi'n credu ei bod hi wedi mynd. Gobeithio y daw hi'n ôl. Dwi'n gweld ei heisiau hi'n barod.

* * *

Roedd Mam-gu'r Blaidd yn casáu llygod. Roedd hi'n eu hofni nhw'n fawr ac allai hi ddim cuddio'r ofn. Felly roedd Wil a minnau bob amser yn gwenu yn yr hydref pan ddeuai'r glaw a'r oerfel, a'r llygod yn penderfynu ei bod hi'n dwymach y tu mewn ac yn dod i fyw gyda ni yn y bwthyn. Roedd Sam Mawr yn dwlu ar y llygod – byddai hyd yn oed yn rhoi bwyd iddynt. Byddai Mam-gu'r Blaidd yn gweiddi arno oherwydd hynny ac yn ei daro. Ond fyddai Sam Mawr byth yn deall pam roedd hi'n ei daro, felly byddai'n dal ati i fwydo'r llygod yn union fel o'r blaen. Gosododd Mam-gu'r Blaidd drapiau i'w dal nhw, ond byddai Wil a minnau'n dod o hyd iddynt ac yn eu cau nhw. Drwy'r hydref dim ond un llygoden y llwyddodd hi i'w dal.

Cafodd y llygoden honno'r angladd mwyaf a gafodd unrhyw

lygoden. Sam Mawr oedd y prif alarwr a bu'n crio digon dros bawb. Mair, Wil a fi dorrodd y bedd, ac ar ôl i ni roi'r llygoden i orffwys gosododd Mair bentwr mawr o flodau ar y bedd a chanu *O'r fath gyfaill ydyw'r Iesu*. Gwnaethom hyn i gyd ar waelod y berllan y tu ôl i gysgod y coed afalau lle na allai Mam-gu'r Blaidd ein gweld na'n clywed ni. Wedyn dyma ni'n eistedd mewn cylch o gwmpas y bedd a chael gwledd angladdol o fwyar. Rhoddodd Sam Mawr y gorau i grio er mwyn bwyta'r mwyar, ac yna dyma ni i gyd yn canu *Si-so, jac-y-do* â chegau duon uwchben bedd y llygoden.

Gwnaeth Mam-gu'r Blaidd bopeth i geisio cael gwared ar y llygod. Rhoddodd wenwyn o dan y sinc yn y pantri. Ysgubon ni'r cyfan i ffwrdd. Gofynnodd i John James, y daliwr gwahaddod o'r pentref â'r trwyn cam, i ddod i geisio cael gwared ar y llygod. Gwnaeth ei orau, ond doedd dim yn tycio. Felly yn y diwedd, yn ei hanobaith, roedd yn rhaid iddi eu hel nhw o'r tŷ ag ysgub. Ond bydden nhw'n dal i ddod 'nôl o hyd. Roedd hyn i gyd yn ei gwneud hi'n fwy cas tuag atom. Ond, i Wil a minnau, roedd hi'n werth cael ein taro er mwyn ei gweld hi'n wyllt gan ofn ac yn sgrechian fel gwrach.

Yn y gwely gyda'r nos roedd ein stori ni am Mam-gu'r Blaidd yn newid bob tro y byddem ni'n ei hadrodd. Nawr nid plant dynol oedd gan y Cyrnol a Mam-gu'r Blaidd o gwbl. Yn lle hynny roedd hi'n rhoi genedigaeth i lygod-blant enfawr, a phob un ohonynt â chynffonnau mawr hir a wisgers yn crynu. Ond ar ôl yr hyn wnaeth hi nesaf, penderfynon ni fod hyd yn oed y ffawd ofnadwy honno yn rhy dda iddi.

Er bod Mam-gu'r Blaidd yn taro Mair o bryd i'w gilydd, daeth yn amlwg yn fuan iawn ei bod hi'n ei hoffi hi'n llawer mwy na'r gweddill ohonom. Roedd rhesymau da am hyn. Roedd merched yn hyfryd, byddai Mam-gu'r Blaidd yn aml yn dweud wrthym, ddim yn frwnt ac aflednais fel bechgyn. Roedd hi hefyd yn ffrindiau da â mam a thad Mair. Roedden nhw'n byw fel ninnau mewn bwthyn ar ystâd y Cyrnol – roedd tad Mair yn gofalu am y ceffylau yn y Plas. Roedden nhw'n bobl *bropor*, meddai Mam-gu'r Blaidd wrthym – pobl dda oedd yn mynd i'r eglwys ac a oedd wedi magu eu plentyn yn dda – hynny yw, yn llym. Ac o'r hyn a ddywedai Mair wrthym, roedden nhw *yn* llym hefyd. Roedd hi byth a hefyd yn cael ei hanfon i'w hystafell wely, neu'n cael ei tharo gan ei thad am y peth lleiaf. Unig blentyn i rieni hŷn oedd hi ac, fel byddai Mair yn aml yn sôn, roedden nhw eisiau iddi fod yn berffaith. Beth bynnag, roedd yn beth da i ni fod Mam-gu'n hoffi ei theulu, achos fel arall dwi'n siŵr y byddai wedi gwahardd Mair rhag dod i'n gweld ni. Fel roedd pethau, dywedai Mam-gu'r Blaidd fod Mair yn ddylanwad da, y gallai hi'n dysgu ni sut i ymddwyn, a'n gwneud ni'n llai cwrs ac aflednais. Felly, diolch byth, roedd Mair yn dal i ddod adref gyda ni i gael te bob dydd ar ôl yr ysgol.

Ychydig amser ar ôl angladd y llygoden, roedd hi'n ben-blwydd ar Sam Mawr. Roedd Wil a fi wedi prynu losin iddo o siop Mrs Bowen yn y pentref – ei ffefrynnau – a daeth Mair ag anrheg iddo mewn blwch bach brown a thyllau awyr ynddo a bandiau lastig amdano. Tra oeddem ni yn yr ysgol cuddiodd Mair y blwch yn y llwyni ar waelod y buarth. Dim ond ar ôl i ni ei phoeni'n ddiddiwedd y dangosodd hi i ni beth oedd yr anrheg wrth i ni gerdded adref. Llygoden fedi oedd hi, y llygoden fach hyfrytaf a welais erioed, gyda chlustiau enfawr a golwg wedi drysu arni. Rhedodd Mair ei bys ar hyd ei chefn a chododd y llygoden ar ei heistedd yn y blwch a symud ei wisgers. Rhoddodd Mair hi i Sam Mawr ar ôl te, i lawr yn y berllan o olwg y bwthyn, yn ddigon pell o lygaid gwyliadwrus Mam-gu'r Blaidd. Dyma Sam Mawr yn cofleidio Mair fel petai byth yn mynd i'w gollwng yn rhydd. Cadwodd ei lygoden pen-blwydd yn ei flwch ei hun a'i chuddio mewn drôr yng nghwpwrdd ei ystafell wely – dywedodd y byddai'n rhy oer iddi yn y sied gyda'i holl greaduriaid eraill. Daeth y llygoden yn ffefryn yn syth. Ceisiodd pob un ohonom egluro i Sam Mawr na ddylai byth ddweud wrth Mam-gu'r Blaidd. Petai hi'n dod i wybod am y llygoden, byddai hi'n mynd â hi ac yn ei lladd.

Wn i ddim sut daeth hi i wybod, ond pan ddaethon ni adref o'r ysgol rai diwrnodau'n ddiweddarach, dyna lle roedd Sam Mawr yn eistedd ar lawr ei ystafell, yn beichio crio, a'r drôr yn wag wrth ei ochr. Rhuthrodd Mam-gu'r Blaidd i mewn a dweud nad oedd hi'n mynd i gael unrhyw hen anifeiliaid brwnt yn ei thŷ *hi*. Yn waeth na hynny, fel na fyddai Sam Mawr byth yn dod ag unrhyw un o'r anifeiliaid eraill i'r tŷ, roedd hi wedi cael gwared arnynt i gyd: y neidr ddefaid, y ddwy fadfall, y draenog. Roedd teulu anifeiliaid Sam Mawr wedi mynd, ac roedd e'n torri'i galon. Gwaeddodd Mair arni ei bod hi'n fenyw greulon, greulon ac y byddai hi'n mynd i Uffern ar ôl iddi farw, ac yna rhedodd adref yn ei dagrau.

Y noson honno dyma Wil a finnau'n creu stori am sut y byddem ni'n rhoi gwenwyn llygod mawr yn nhe Mam-gu'r Blaidd y diwrnod canlynol ac yn ei lladd. Yn y diwedd llwyddon ni i gael gwared arni ond, diolch byth, heb ddefnyddio gwenwyn llygod mawr. Yn lle hynny, digwyddodd gwyrth – gwyrth ryfeddol.

Yn gyntaf, bu farw gwraig y Cyrnol yn ei chadair olwyn, felly doedd dim rhaid i ni ei gwthio hi i'r llyn wedi'r cyfan. Tagodd hi ar sgonsen amser te, ac er gwaethaf popeth wnaeth Mam i geisio ei hachub, buodd hi farw. Cafodd angladd mawr y bu'n rhaid i ni i gyd fynd iddo. Roed ei harch yn sgleinio i gyd, a dolenni arian arni, a llwyth o flodau. Dywedodd y ficer sut roedd pawb yn y plwyf yn meddwl y byd ohoni, a sut roedd hi wedi treulio'i bywyd yn gofalu am bawb ar yr ystâd – roedd hynny'n newyddion i ni i gyd.

Wedi hynny agoron nhw lawr yr eglwys a'i gollwng hi i gladdgell y teulu tra oeddem ni i gyd yn canu *O fryniau Caersalem*. Ac roeddwn i'n meddwl y byddai'n well gen i fod yn arch syml Tada, wedi fy nghladdu y tu allan lle mae'r haul yn tywynnu a'r gwynt yn chwythu, yn hytrach nag mewn rhyw dwll tywyll gyda llond y lle o berthnasau marw. Bu'n rhaid i Mam fynd â Sam Mawr allan yng nghanol yr emyn achos dechreuodd ganu *Si-so, jac-y-do* yn uchel unwaith eto a gwrthod bod yn dawel. Dangosodd Mam-gu'r Blaidd ei dannedd – fel y bydd bleiddiaid yn ei wneud – a chrychu ei thalcen yn ddig. Wyddem ni ddim ar y pryd, ond cyn bo hir iawn byddai hi'n diflannu bron yn gyfan gwbl o'n bywydau, gan fynd â'i dicter a'i bygythiadau i gyd gyda hi.

Felly'n sydyn – o'r fath lawenydd mawr! – roedd Mam gartref gyda ni eto, a ninnau'n gobeithio mai dim ond mater o amser oedd hi cyn y byddai Mam-gu'r Blaidd yn symud yn ôl i'r pentref. Doedd dim gwaith i Mam ei wneud bellach yn y Plas, dim gwraig fonheddig i fod yn forwyn iddi. Roedd hi gartref, ac o ddydd i ddydd roedd hi'n debycach i'r hyn oedd hi cynt. Roedd hi a Mam-gu'r Blaidd yn dadlau nes bod y lle'n tasgu, gan fwyaf am sut roedd Mam-gu'r Blaidd yn trin Sam Mawr. Roedd Mam yn dweud na fyddai hi'n dioddef y peth mwyach, a hithau gartref. Roeddem ni'n gwrando ar bob gair, ac yn mwynhau pob eiliad. Ond roedd un cysgod mawr dros yr holl lawenydd newydd yma. Gallem weld nad oedd gwaith gan Mam ac nad oedd arian yn dod i mewn, felly roedd hi'n fain arnom ni. Doedd dim arian yn y mẁg ar y silff ben tân, a phob diwrnod roedd llai i'w fwyta ar y bwrdd. Am gyfnod dim ond tatws oedd gennym, ac roeddem ni i gyd yn gwybod yn iawn y byddai'r Cyrnol yn ein hanfon o'r bwthyn yn hwyr neu'n hwyrach. Dim ond aros am y gnoc ar y drws roeddem ni. Yn y cyfamser roeddem ni'n dechrau llwgu.

Syniad Wil oedd mynd i botsian: samwn, sewin, cwningod, a cheirw hyd yn oed os oeddem ni'n lwcus, meddai. Roedd Tada wedi bod yn potsian ychydig, felly roedd Wil yn gwybod beth i'w wneud. Byddai Mair a finnau'n cadw llygad. Gallai Wil osod y trapiau neu bysgota. Felly, wrth iddi nosi, neu gyda'r wawr, bob tro y gallem ni fynd i ffwrdd gyda'n gilydd, byddem ni'n mynd i botsian ar dir y Cyrnol: yng nghoedwigoedd y Cyrnol neu yn afon y Cyrnol lle roedd digon o sewin a digon o samwn. Allen ni ddim mynd â Sam Mawr gyda ni achos gallai ddechrau canu unrhyw bryd a dangos i bawb lle roeddem ni. A byddai e'n dweud wrth Mam hefyd. Roedd e'n dweud popeth wrth Mam.

Cawsom ni hwyl arni. Byddem ni'n dod 'nôl â llawer o gwningod, ambell sewin ac, unwaith, samwn pedwar pwys ar ddeg. Felly roedd rhywbeth i'w fwyta gyda'r tatws nawr. Ddwedon ni ddim wrth Mam mai ar dir y Cyrnol roeddem ni wedi bod. Fyddai hi ddim wedi bod yn fodlon o gwbl, ac yn sicr doedden ni ddim eisiau i Mam-gu'r Blaidd ddod i wybod achos byddai hi'n sicr wedi mynd i ddweud wrth y Cyrnol yn syth. "Fy ffrind, y Cyrnol," roedd hi'n ei alw. Roedd hi bob amser yn ei ganmol i'r cymylau, felly roeddem ni'n gwybod bod yn rhaid i ni fod yn ofalus. Dywedon ni ein bod wedi dal y cwningod yn y berllan a'r pysgod o'r nant yn y pentref. Dim ond sewin bach oedd i'w dal yno, ond doedden nhw ddim yn gwybod hynny. Dywedodd Wil wrthyn nhw fod y sewin wedi dod i fyny'r nant i silio, fel roedden nhw'n gwneud, wrth gwrs. Roedd Wil yn un da am ddweud celwydd, ac roedden nhw'n ei gredu. Diolch byth.

Byddai Mair a minnau'n cadw llygad tra oedd Wil yn gosod y trapiau neu'r rhwydi. Efallai bod Lewis, beili'r Cyrnol, yn hen, ond roedd e'n glyfar, ac roeddem ni'n gwybod y byddai'n gollwng ei gi i ymosod arnom petai'n ein dal ni wrthi. Yn hwyr un noson, wrth eistedd ger y bont a Wil yn brysur gyda'i rwydi i lawr yr afon, cydiodd Mair yn fy llaw a'i dal yn dynn. "Dwi ddim yn hoffi'r tywyllwch," sibrydodd. Fues i erioed mor hapus.

Pan ddaeth y Cyrnol i'r tŷ y diwrnod canlynol, roeddem ni'n meddwl bod hynny naill ai oherwydd bod rhywun wedi dod i wybod neu achos ei fod yn mynd i'n taflu ni o'r bwthyn. Ond nid dyna'r rheswm. Roedd Mam-gu'r Blaidd fel petai'n ei ddisgwyl, ac roedd hynny'n rhyfedd. Aeth at y drws a'i wahodd i mewn. Nodiodd ar Mam a gwgu arnom ni. Amneidiodd Mam-gu'r Blaidd ar i ni fynd allan wrth iddi ofyn i'r Cyrnol eistedd. Gwnaethon ni ein gorau i glustfeinio, ond doedd Sam Mawr ddim yn dda am gadw'n dawel, felly roedd yn rhaid i ni aros tan yn nes ymlaen i glywed y gwaethaf. Fel y digwyddodd hi, nid y gwaethaf oedd y gwaethaf o gwbl, ond y gorau.

Ar ôl i'r Cyrnol fynd, galwodd Mam-gu'r Blaidd ni i mewn. Gallwn weld ei bod hi'n llawn ohoni'i hun, wedi ymchwyddo i gyd. "Fe gaiff eich mam egluro," cyhoeddodd yn falch, a gwisgo'i boned. "Mae'n rhaid i mi fynd i'r Plas ar unwaith. Mae gwaith gyda fi i'w wneud."

Arhosodd Mam tan iddi fynd ac allai hi ddim peidio â gwenu wrth iddi ddweud wrthym. "Wel," dechreuodd, "ry'ch chi'n gwybod bod eich hen fodryb yn arfer cadw tŷ yn y Plas beth amser yn ôl?"

"Ac wedyn fe gafodd hi ei thaflu allan gan wraig y Cyrnol," meddai Wil.

"Fe gollodd hi ei swydd, do," meddai Mam. "Wel, gan fod gwraig y Cyrnol wedi marw nawr, mae'n debyg fod y Cyrnol eisiau iddi fynd 'nôl i fyw yno a chadw tŷ iddo unwaith eto. Fe fydd hi'n symud i'r Plas cyn gynted â phosib."

Waeddais i ddim 'hwrê', ond roeddwn i'n sicr yn teimlo fel gwneud hynny.

"Beth am y bwthyn?" gofynnodd Wil. "Ydy'r hen foi'n mynd i'n taflu ni allan?"

"Nac ydy, cariad. Ry'n ni'n cael aros," atebodd Mam. "Fe ddywedodd y Cyrnol fod ei wraig yn fy hoffi a'i bod wedi gwneud iddo addo i ofalu amdanaf petai rhywbeth yn digwydd iddi. Felly, mae'n cadw'i addewid. Dwedwch chi beth bynnag fynnwch chi am y Cyrnol, mae'n ddyn sy'n cadw'i air. Dwi wedi cytuno i wneud y golch i gyd iddo a'i waith gwnïo. Fe alla i ddod â'r rhan fwyaf ohono adre. Felly fe fydd arian yn dod i mewn. Fe ddown ni i ben. Wel, ydych chi'n hapus? Ry'n ni'n cael aros!"

Wedyn dyma ni *yn* gweiddi 'hwrê' a Sam Mawr hefyd, yn

uwch na phawb. Felly cawson ni aros yn y bwthyn a symudodd Mam-gu'r Blaidd allan. Roeddem ni wedi cael ein rhyddhau, ac roedd y byd yn ei le eto. Am ychydig, o leiaf.

Gan fod y ddau ohonyn nhw'n hŷn na mi, Mair ddwy flynedd a Wil dair blynedd yn hŷn, roedden nhw bob amser yn rhedeg yn gyflymach na mi. Dwi'n teimlo fel petaswn i wedi treulio rhan fawr o'm bywyd yn eu gwylio nhw'n rhedeg o'm blaen, yn neidio dros wair tal y dolydd, a phlethau Mair yn chwyrlïo o gwmpas ei phen, a chwerthin y ddau yn gymysg i gyd. Pan oedden nhw'n mynd yn rhy bell o'm blaen, roeddwn i weithiau'n teimlo eu bod nhw eisiau bod hebddo i. Byddwn i'n swnian wedyn er mwyn gadael iddyn nhw wybod fy mod i'n teimlo'n drist ac unig, a bydden nhw'n aros i mi eu dal nhw. Neu'n well fyth byddai Mair weithiau'n rhedeg yn ôl a chydio yn fy llaw.

Pan nad oeddem ni'n potsian pysgod y Cyrnol neu'n dwyn ei afalau – roeddem ni'n mwynhau'r perygl yn fwy na dim, dwi'n credu – byddem yn crwydro'n rhydd yng nghefn gwlad. Gallai Mair ddringo coeden fel cath, yn gyflymach na neb. Weithiau byddem yn mynd lawr i lan yr afon i wylio glas y dorlan yn gwibio heibio, neu'n mynd i nofio ym Mhwll Waun Ddu a'r helyg yn hongian yn drwm o'i gwmpas, lle roedd y dŵr yn dywyll ac yn ddwfn ac yn ddirgel. Fyddai neb byth yn dod yno.

Dwi'n cofio'r diwrnod pan heriodd Mair Wil i dynnu'i

ddillad i gyd, ac er syndod mawr i mi, dyna wnaeth e. Wedyn gwnaeth hithau'r un fath, a dyma nhw'n rhedeg yn borcyn dan sgrechian i'r dŵr. Pan alwon nhw fi i mewn ar eu holau nhw, wnawn i ddim, ddim o flaen Mair. Felly eistedd a phwdu wnes i ar y lan a'u gwylio nhw'n tasgu a chwerthin, a difaru nad oeddwn i'n ddigon dewr i wneud fel roedd Wil wedi'i wneud, a dymuno bod gyda nhw. Gwisgodd Mair wedyn y tu ôl i lwyn a rhoi siars i ni beidio â'i gwylio. Ond dyna wnaethon ni. Dyna'r tro cyntaf erioed i mi weld merch yn noeth. Roedd hi'n denau a gwyn iawn, a buodd hi'n gwasgu a throi ei phlethau fel clwtyn gwlyb.

Aeth sawl diwrnod heibio cyn iddyn nhw lwyddo i'm denu i'r dŵr. Roedd Mair yn sefyll hyd at ei chanol yn yr afon a rhoddodd ei dwylo dros ei llygaid. "Dere, Tomi," gwaeddodd. "Edrycha i ddim. Dwi'n addo." Doeddwn i ddim eisiau cael fy ngadael ar ôl unwaith eto, felly tynnais fy nillad oddi amdanaf a rhedeg yn wyllt i'r afon, gan ddal fy nwylo o'm blaen rhag ofn bod Mair yn sbecian rhwng ei bysedd. Ar ôl y tro cyntaf hwnnw, doeddwn i'n poeni dim am y peth.

Weithiau pan oeddem ni wedi blino ar yr holl rialtwch, byddem yn gorwedd ac yn siarad yn y dŵr bas, a gadael i'r afon lifo drosom ni. Siarad a siarad. Dywedodd Mair wrthym unwaith ei bod eisiau marw yn y fan a'r lle, nad oedd hi eisiau i fory ddod oherwydd allai dim un yfory fod yn well na heddiw. "Wn i," meddai, gan godi ar ei heistedd yn yr afon a chasglu llond dwrn o gerrig mân. "Dwi'n mynd i ddweud ein ffortiwn ni. Dwi wedi gweld y sipsiwn yn gwneud." Dyma hi'n siglo'r cerrig mân yng nghwpan ei dwylo, cau ei llygaid a gwasgaru'r cerrig ar y lan fwdlyd. Gan benlinio drostyn nhw siaradodd yn ddifrifol ac araf fel petai hi'n eu darllen nhw. "Maen nhw'n dweud y byddwn ni gyda'n gilydd bob amser, y tri ohonom ni, am byth. Maen nhw'n dweud, ond i ni aros gyda'n gilydd, y byddwn ni'n lwcus ac yn hapus." Yna gwenodd arnom. "A dyw'r cerrig byth yn dweud celwydd," meddai. "Felly allwch chi ddim cael gwared arna i."

Am flwyddyn neu ddwy gwireddwyd proffwydoliaeth Mair. Ond wedyn aeth Mair yn sâl. Doedd hi ddim yn yr ysgol un diwrnod. Y dwymyn goch oedd arni, meddai Mr Morris, ac roedd hi'n wael iawn. Aeth Wil a minnau i'w bwthyn y noson honno ar ôl te â blodau pys pêr roedd Mam wedi'u casglu iddi – oherwydd mae eu persawr nhw'n felysach nag unrhyw flodyn arall, meddai hi. Gwyddem na fyddem ni'n cael mynd i'w gweld gan fod y dwymyn goch yn heintus iawn, ond doedd mam Mair ddim yn edrych yn falch o gwbl o'n gweld ni. Roedd hi wastad yn edrych yn welw a sarrug ei gwedd, ond y diwrnod hwnnw roedd hi'n flin a chrac hefyd. Cymerodd y blodau bron heb edrych arnynt, a dweud wrthym am beidio â galw yno eto. Yna daeth tad Mair i'r golwg o rywle, yn edrych yn arw ac anniben, a dywedodd wrthym am fynd, ein bod ni'n tarfu ar gwsg Mair. Wrth i mi gerdded i ffwrdd, y cyfan oedd ar fy meddwl oedd pa mor anhapus roedd Mair druan yn yr hen fwthyn bach diflas gyda mam a thad fel yna, a bod coed yn cwympo ar y tadau anghywir. Arhoson ni ar ben y llwybr ac edrych tuag at ffenestr Mair, gan obeithio y byddai'n dod i godi llaw arnom. Pan na ddaeth hi, roeddem yn gwybod ei bod hi'n wirioneddol sâl.

Doedd Wil a minnau byth yn dweud ein pader o gwbl bellach, ddim ers gorffen mynd i'r ysgol Sul, ond roeddem ni'n gwneud nawr. Gan benlinio wrth ochr Sam Mawr byddem ni'n gweddïo bob nos na fyddai Mair yn marw. Byddai Sam yn canu *Si-so, jac y do* a ninnau'n ychwanegu *Amen* wedyn. Byddem ni'n croesi ein bysedd hefyd, rhag ofn.

DENG MUNUD I HANNER NOS

Dwi ddim yn siŵr a fues i erioed yn credu yn Nuw, hyd yn oed yn yr ysgol Sul. Yn yr eglwys byddwn i'n syllu ar Iesu'n hongian ar y groes yn y ffenestr liw, gan deimlo'n flin drosto achos gallwn weld pa mor greulon oedd rhoi rhywun i hongian ar groes gan achosi poen iddo. Gwyddwn ei fod yn ddyn da a charedig. Ond ddeallais i byth yn iawn pam byddai Duw, a oedd i fod yn dad iddo, ac yn hollalluog a phwerus, yn gadael iddyn nhw wneud hynny iddo, yn gadael iddo ddioddef cymaint. Roeddwn i'n credu bryd hynny, fel dwi'n credu nawr, bod croesi bysedd a cherrig mân Mair lawn mor ddibynadwy neu annibynadwy â gweddïo ar Dduw. Ddylwn i ddim meddwl fel hynny achos, os nad oes Duw, does dim nefoedd chwaith. Heno hoffwn i gredu bod nefoedd a, fel byddai Tada'n dweud, bod bywyd newydd ar ôl marwolaeth, nad atalnod llawn yw marwolaeth, ac y byddwn ni i gyd yn gweld ein gilydd eto.

* * *

Tra oedd Mair yn sâl yn y gwely'n dioddef o'r dwymyn goch y daeth Wil a minnau i wybod, er bod cerrig mân Mair wedi ein siomi ni mewn un ffordd, eu bod nhw wedi dweud y gwir mewn ffordd arall. Gyda hi, y tri ohonom gyda'n gilydd, roeddem ni *yn* lwcus, a hebddi doedden ni ddim. Hyd at y cyfnod hwnnw, pan fyddai'r tri ohonom yn mynd gyda'n gilydd i botsian pysgod y Cyrnol, doedden ni erioed wedi cael ein dal. Cael a chael oedd hi ambell dro gyda'r hen Lewis a'i gi, ond roedd ein system gwylio ni wedi gweithio bob tro. Rywsut roeddem ni wedi eu clywed nhw'n dod bob tro ac wedi llwyddo i ddianc. Ond y tro cyntaf i Wil a minnau fynd allan i botsian heb Mair, aeth pethau'n ffradach, yn ffradach go iawn, a fi oedd ar fai.

Roeddem wedi dewis noson berffaith i botsian, heb awel o gwbl, felly gallem glywed unrhyw un yn dod. Pan oedd Mair wrth fy ochr yn cadw llygad doeddwn i erioed wedi teimlo'n gysglyd, ac roeddem wedi clywed yr hen Lewis a'i gi mewn da bryd i Wil allu dod o'r afon, ac i ni i gyd ddianc. Ond y noson arbennig honno methais yn lân â chanolbwyntio. Roeddwn i wedi gwneud fy hunan yn gyfforddus, yn rhy gyfforddus siŵr o fod, yn ein lle arferol wrth y bont ac roedd Wil gyda'r rhwydi ymhellach i lawr yr afon. Ond ar ôl eistedd yno am dipyn, dyma fi'n cwympo i gysgu. Dwi ddim yn cwympo i gysgu'n rhwydd iawn, ond pan dwi'n cysgu, dwi'n cysgu'n drwm.

Y peth cyntaf deimlais i oedd fod ci'n ffroeni fy ngwddf. Wedyn roedd yn cyfarth yn fy wyneb, a'r hen Lewis yn fy nghodi ar fy nhraed. A dyna lle roedd Wil yng ngolau'r lleuad ynghanol yr afon yn tynnu wrth y rhwydi.

"Chi'r ddau Griffiths! Y ddau walch drwg," chwyrnodd Lewis. "Dwi wedi eich dal chi wrthi. Ry'ch chi mewn helynt nawr, does dim dwywaith amdani."

Gallai Wil fod wedi fy ngadael i yno. Gallai fod wedi rhoi ei draed yn y tir a dianc, ond nid un felly yw Wil. Fuodd e erioed.

Dyma Lewis yn ein martsio o flaen ei ddryll 'nôl ar hyd yr afon ac i fyny i'r Plas, a'i gi'n cyfarth wrth ein sodlau bob hyn a hyn i'n hatgoffa ni ei fod e'n dal yno ac y byddai'n ein bwyta ni'n fyw petaem ni'n ceisio dianc. Aeth Lewis â ni i'r stablau, ein cloi ni yno a'n gadael. Buom ni'n aros yn y tywyllwch, a'r ceffylau'n symud ac yn cnoi ac yn ffroeni o'n cwmpas. Yn rhy fuan o lawer, gwelsom olau lamp yn agosáu, a chlywed sŵn traed a lleisiau. Wedyn dyna lle roedd y Cyrnol yn ei slipers a'i ŵn gwisgo, a gydag ef roedd Mam-gu'r Blaidd yn ei chapan nos yn edrych mor ffyrnig â chi Lewis.

Edrychodd y Cyrnol arnom o'r naill i'r llall, gan ysgwyd ei ben mewn dicter. Ond Mam-gu'r Blaidd agorodd ei cheg gyntaf. "Dwi erioed wedi teimlo'r fath gywilydd yn fy myw," meddai. "Fy nheulu fy hunan. Ry'ch chi'n destun cywilydd mawr. Ar ôl popeth mae'r Cyrnol wedi'i wneud i ni. Mae'n warthus. Lladron y'ch chi, dim byd ond lladron."

Ar ôl iddi orffen daeth tro'r Cyrnol. "Dim ond un ffordd sydd o drin dihirod fel chi," meddai. "Fe allwn i eich rhoi chi o flaen yr ynad heddwch, ond gan mai fi yw'r ynad beth bynnag does dim angen mynd i'r holl drafferth honno, oes e? Fe alla i eich dedfrydu chi nawr. Fe gewch chi ddod yma bore fory am ddeg o'r gloch yn union, ac fe rof i'r grasfa rydych chi'n ei haeddu i chi eich dau. Wedyn fe gewch chi aros a charthu cybiau'r cŵn hela tan i mi ddweud y cewch chi fynd. Dylai hynny eich dysgu chi i beidio â dod i botsian ar fy nhir i."

Ar ôl i ni gyrraedd adref roedd yn rhaid i ni ddweud y cyfan wrth Mam am bopeth roeddem ni wedi'i wneud, a phopeth roedd y Cyrnol wedi'i ddweud. Wil wnaeth y rhan fwyaf o'r siarad. Eisteddodd Mam mewn tawelwch, a'i hwyneb yn ddifrifol iawn. Pan siaradodd hi, prin sibrwd wnaeth hi. "Fe ddwedaf i un peth wrthoch chi," meddai. "Chewch chi ddim crasfa. Dros fy nghrogi." Wedyn edrychodd i fyny arnom, a'i llygaid yn llawn dagrau. "Pam? Fe ddwedoch chi eich bod chi wedi bod yn pysgota yn y nant. Dyna ddwedoch chi. O Wil, Tomi." Rhoddodd Sam Mawr ei law'n ysgafn dros ei gwallt. Roedd yn bryderus ac wedi drysu i gyd. Rhoddodd hi ei llaw ar ei fraich. "Mae popeth yn iawn, Sam. Fe af i gyda nhw yfory. Does dim gwahaniaeth gen i eich bod chi'n carthu cybiau'r cŵn hela – rydych chi'n haeddu hynny. Ond dyna i gyd. Chaiff y dyn yna ddim cyffwrdd blaen ei fys arnoch chi, ddim o gwbl, waeth beth fydd yn digwydd."

Cadwodd Mam at ei gair. Chawson ni byth wybod sut llwyddodd hi na beth ddywedwyd, ond y diwrnod canlynol – ar ôl i Mam a'r Cyrnol gael cyfarfod yn ei stydi – gorfododd ni i sefyll o'i flaen ac ymddiheuro. Wedyn, ar ôl darlith hir am dresmasu ar dir preifat, dywedodd y Cyrnol ei fod wedi newid ei feddwl, ac yn lle cael crasfa byddem yn gorfod carthu cybiau cŵn hela'r Cyrnol bob dydd Sadwrn a dydd Sul tan y Nadolig.

Fel digwyddodd hi, doedd dim gwahaniaeth gyda ni o gwbl. Er bod yr arogl yn troi ar ein stumogau ni weithiau, roedd y cŵn o'n cwmpas wrth i ni weithio, eu cynffonnau'n uchel ac yn ysgwyd yn hapus. Felly byddem yn aml yn cael egwyl o'r gwaith i roi mwythau iddyn nhw, ar ôl gwneud yn hollol siŵr nad oedd neb yn edrych. Roedd un ffefryn arbennig gyda ni – gast o'r enw Meg. Roedd hi bron yn wyn i gyd gydag un droed frown a'r llygaid mwyaf hyfryd. Byddai hi wastad yn sefyll gerllaw wrth i ni garthu a brwsio, gan syllu arnom yn addolgar. Bob tro roeddwn i'n edrych i'w llygaid meddyliwn am Mair. Fel Meg, roedd ei llygaid hithau hefyd yr un lliw â mêl grug.

Roedd yn rhaid i ni fod yn ofalus, oherwydd byddai Mam-gu'r Blaidd, a oedd bellach yn fwy hunanbwysig nag erioed, yn aml yn dod allan i fuarth y stablau i wneud yn siŵr ein bod ni'n gwneud ein gwaith yn iawn. Byddai rhywbeth cas ganddi i'w ddweud bob tro fel: "Eitha reit i chi," neu "Fe fydd hyn yn wers i chi," neu "Fe ddylai fod cywilydd arnoch chi," a byddai hi'n twt-twtian neu'n ochneidio'n boenus bob tro. Cyn mynd byddai'n dweud rhywbeth bach cas am Mam. "Ond dyna ni, gyda mam fel 'na, mae'n debyg nad arnoch chi mae'r bai i gyd, nage?"

Daeth Noswyl Nadolig o'r diwedd ac roedd ein cosb wedi dod i ben. Dwedon ni hwyl fawr wrth Meg a rhedeg adref ar hyd lôn y Plas am y tro olaf, gan wneud sŵn rhechfeydd mawr wrth fynd. Yn disgwyl amdanom yn y bwthyn roedd yr anrheg

Nadolig orau y gallem fod wedi gobeithio amdani. Eisteddai Mair yno'n gwenu arnom wrth i ni ddod drwy'r drws. Roedd hi'n welw, ond roedd hi 'nôl gyda ni. Roeddem ni gyda'n gilydd unwaith eto. Roedd ei gwallt wedi'i dorri'n fyrrach. Roedd y plethau wedi mynd, a rywsut roedd hi'n edrych yn gwbl wahanol. Nid plentyn oedd hi mwyach. Roedd iddi brydferthwch gwahanol nawr, prydferthwch a ysgogodd gariad newydd a dyfnach ynof.

Dwi'n credu, heb i mi sylweddoli, fy mod i wastad wedi gweld sut roeddwn yn tyfu drwy gymharu fy hunan yn barhaus â Mair a Wil. Bob dydd roeddwn i'n mynd yn fwy poenus o ymwybodol eu bod nhw ymhell o'm blaen i. Yn un peth, roeddwn i'n fyrrach ac yn arafach na nhw – doeddwn i erioed wedi hoffi hynny, ond roeddwn i wedi dod yn gyfarwydd erbyn hyn. Y drafferth oedd ei bod hi'n dod yn amlwg i mi fod y bwlch rhyngom ni'n fwy difrifol, a'i fod yn lledu. Dechreuodd hynny mewn gwirionedd pan gafodd Mair ei symud i ddosbarth y Plant Mawr. Roeddwn i'n dal gyda'r Babanod ac roedden nhw'n tyfu'n bellach oddi wrthyf. Ond pan oeddem ni'n dal gyda'n gilydd yn ysgol y pentref doedd dim gwahaniaeth gen i o gwbl oherwydd o leiaf roeddwn i gyda nhw. Byddem ni'n cerdded i'r ysgol gyda'n gilydd, yn bwyta ein cinio gyda'n gilydd fel arfer – yn y pantri yn y ficerdy, lle byddai gwraig y ficer yn dod â lemonêd i ni – ac yna byddem ni'n cerdded adref gyda'n gilydd.

Roeddwn i'n edrych ymlaen drwy'r dydd at y daith hir tuag

adref, a'r diwrnod ysgol ar ben. Doedd eu ffrindiau eraill nhw ddim gyda ni, a gallem anghofio'n llwyr am Mr Morris milain am ddiwrnod arall. Byddem ni'n rhuthro fel cath i gythraul i lawr y bryn at y nant, yn tynnu ein hesgidiau mawr trwm ac yn gollwng ein traed a'n bysedd traed poenus yn rhydd o'r diwedd. Byddem yn eistedd yno ar y lan yn symud bysedd ein traed yn y dŵr oer hyfryd. Byddem yn gorwedd ynghanol gwair a blodau menyn y dolydd gan edrych i fyny fry ar y cymylau'n symud ar draws yr awyr, ar y brain yn cael eu bwrw gan y gwynt wrth erlid bwncath oedd yn mewian fel cath. Wedyn byddem yn dilyn y nant am adref, a'n traed yn slwtsian yn y mwd, a'r mwd yn gwasgu rhwng bysedd ein traed. Mae'n rhyfedd meddwl am y peth nawr, ond roedd yna adeg pan oeddwn i'n dwlu ar fwd, ar ei arogli a'i deimlo ac ar chwarae ynddo. Ddim mwyach.

Yna'n sydyn, ychydig ar ôl fy mhen-blwydd yn ddeuddeg oed, roedd y chwarae i gyd ar ben. Gadawodd Wil a Mair yr ysgol ac roeddwn i ar fy mhen fy hun. Roeddwn i'n un o'r Plant Mawr, yn nosbarth Mr Morris, ac yn ei gasáu hyd yn oed yn fwy nag roeddwn i'n ei ofni. Roeddwn i'n arswydo wrth ddihuno bob bore. Roedd Wil a Mair wedi cael gwaith yn y Plas – roedd bron pawb yn y pentref yn gweithio yno neu ar yr ystâd. Roedd Mair yn forwyn fach, a Wil yn gweithio yng nghybiau'r cŵn hela. Roedd e'n dwlu ar ofalu am y cŵn a'r ceffylau. Fyddai Mair ddim yn dod i'n gweld ni mor aml ag y byddai o'r blaen – fel Wil, roedd hi'n gweithio chwe diwrnod yr wythnos. Felly prin y byddwn i'n ei gweld hi.

Byddai Wil yn dod adref yn hwyr gyda'r nos, fel Tada o'i flaen. Byddai'n hongian ei got ar fachyn Tada ac yn rhoi ei esgidiau mawr yn y cyntedd lle roedd esgidiau Tada bob amser. Roedd yn cynhesu ei draed yn y ffwrn isaf ar ôl dod i'r tŷ ar ddiwrnod oer yn y gaeaf, yn union fel Tada. Dyna'r tro cyntaf yn fy mywyd i mi fod yn wirioneddol eiddigeddus o Wil. Roeddwn eisiau rhoi fy nhraed i yn y ffwrn, a dod adref o waith go iawn, ennill arian fel Wil, a chael llais nad oedd yn wichlyd fel lleisiau'r plant bach yn nosbarth Miss Roberts. Ond yn fwy na dim roeddwn eisiau bod gyda Mair eto. Roeddwn eisiau i ni fod yn dri gyda'n gilydd unwaith eto, i bopeth fod yn union fel roedd e. Ond does dim byd yn aros yr un fath o hyd. Dysgais hynny'r adeg honno. Dwi'n gwybod hynny nawr.

Yn y nos wrth i Wil a minnau orwedd yn y gwely gyda'n gilydd, dim ond cysgu fyddai Wil. Fyddem ni byth yn creu storïau bach mwyach. Pan fyddwn i'n gweld Mair, ac ar ddydd Sul yn unig roedd hynny nawr, roedd hi'n dal yn garedig wrthyf i fel y bu hi erioed – ond yn rhy garedig bron, yn rhy ofalus, yn fwy fel mam fach i mi na ffrind. Gallwn weld ei bod hi a Wil yn byw mewn byd arall nawr. Roedden nhw'n siarad yn ddiddiwedd am glecs y Plas, ac am y Fleiddast fyddai'n prowlan ar hyd y lle – tua'r adeg hon y gollyngon nhw "Mam-gu'r Blaidd" yn gyfan gwbl a dechrau ei galw hi'n "Fleiddast". Dyna pryd y clywais gyntaf am y clecs am y Cyrnol a'r

oedd e; roedd yn fwy fel poen colled, fel galar dwfn.

Byddem ni'n dal i gael rhai eiliadau pan fyddem ni'n dri gyda'n gilydd, ond yn anaml iawn roedd hynny'n digwydd. Dwi'n cofio diwrnod yr awyren felen. Dyna'r awyren gyntaf i ni ei gweld erioed. Roeddem wedi clywed amdanynt, wedi gweld lluniau ohonynt, ond tan y diwrnod hwnnw chredais i ddim mai pethau go iawn oedden nhw, eu bod nhw wir yn hedfan. Roedd yn rhaid gweld un i gredu hynny. Roedd Mair a Wil a minnau'n pysgota yn yr afon, dim ond am bysgod bach, neu frithyll brown os oeddem ni'n lwcus – fuon ni ddim yn potsian samwn wedyn, roedd Mam wedi gwneud i ni addo.

Roedd hi'n hwyr un noson o haf a ninnau ar fin mynd adref pan glywson ni sŵn injan yn y pellter. I ddechrau roeddem ni'n meddwl mai car y Cyrnol oedd e – ei Rolls Royce ef oedd yr unig gar yn yr ardal – ond dyma ni'n sylweddoli ar yr union eiliad honno bod hon yn injan wahanol. Sŵn grwnan ysbeidiol oedd e, fel miloedd o wenyn ag atal dweud arnynt. Hefyd, nid o'r heol roedd y sŵn yn dod; roedd e'n dod yn uchel uwch ein pennau. Daeth sŵn cwacian a thasgu i fyny'r nant wrth i haid o hwyaid godi mewn braw. Dyma ni'n rhedeg allan o dan y coed i gael gwell golwg. Awyren! Buon ni'n gwylio'n gegrwth wrth iddi gylchdroi uwch ein pennau fel aderyn mawr lletchwith, a'i hadenydd mawr llydan yn siglo'n beryglus. Gallem weld y peilot yn edrych arnom o'i sedd drwy bâr o gogls. Dyma ni'n chwifio ein dwylo'n wyllt arno a chwifiodd yntau'n ôl. Yna daeth i lawr yn is ac yn is. Sgrialodd y gwartheg yn y ddôl i bob man. Roedd yr awyren yn dod i lanio, gan fownsio, ac yna bu'n cloncian mynd a dod i stop ryw hanner can llath oddi wrthym.

Ddaeth y peilot ddim allan, ond amneidiodd ar i ni ddod draw. Aethon ni'n syth draw ato. "Gwell peidio ddiffodd yr injan!" gwaeddodd dros ru'r peiriant. Roedd yn chwerthin wrth iddo godi ei gogls. "Efallai na fydd y diawl peth yn tanio byth eto. Gwrandewch, dwi ar goll a dweud y gwir. Yr eglwys 'na draw ar y bryn, ai eglwys Llanfelin yw honna?

"Nage," gwaeddodd Wil 'nôl. "Eglwys Llanifor yw hi."

Edrychodd y peilot i lawr ar ei fap. "Llanifor. Ydych chi'n siŵr?"

"Ydyn," gwaeddon ni.

"Wwwps! Ro'n i wir ar goll 'te. Dyna lwc i mi aros. Diolch am eich help. Gwell i mi fynd." Rhoddodd ei gogls am ei drwyn a gwenu arnom. "Dyma chi. Ydych chi'n hoffi losin?" Ac estynnodd fag o losin i Wil. "Hwyl nawr 'te," meddai. "Cadwch yn ddigon pell draw. Bant â ni."

Ac i ffwrdd ag ef dan fownsio tuag at y clawdd, a'i injan yn ffrwtian. Ro'n i'n meddwl na allai byth godi mewn pryd. Cael a chael oedd hi, ond tarodd ei olwynion yn ysgafn yn erbyn y clawdd cyn codi, ac i ffwrdd ag ef. Dyma fe'n troi'n serth, ac yna'n hedfan yn syth tuag atom. Doedd dim amser i redeg. Y cyfan y gallem ni ei wneud oedd taflu ein hunain i lawr yn y borfa hir a theimlo gwth sydyn o wynt wrth iddo hedfan uwch ein pennau. Erbyn i ni rolio drosodd roedd e'n dringo uwchben y coed, ac i ffwrdd ag ef. Gallem ei weld yn chwerthin a chodi ei law. Dyma ni'n ei wylio'n codi fry uwchben tŵr eglwys Llanifor ac yna i'r pellter. Roedd e wedi mynd, gan ein gadael ni yno'n fyr ein hanadl yn y tawelwch roedd wedi'i adael ar ei ôl.

Buon ni'n gorwedd yno yn y gwair hir am dipyn wedyn, yn gwylio un ehedydd yn codi uwch ein pennau, ac yn sugno ein losin. Pan rannodd Wil nhw, roedd pump yr un gyda ni, a phump i Sam Mawr hefyd.

"Oedd hwnna'n wir?" sibrydodd Mair. "A ddigwyddodd 'na go iawn?"

"Mae losin gyda ni," meddai Wil, "felly mae'n rhaid ei fod e wedi digwydd go iawn."

"Bob tro y bydda i'n bwyta losin o hyn allan," meddai Mair, "bob tro y bydda i'n edrych ar ehedydd, dwi'n mynd i feddwl am yr awyren felen honno, a'r tri ohonom ni, ac fel mae hi arnon ni nawr."

"A finnau hefyd," meddwn i.

"A finnau hefyd," meddai Wil.

Roedd y rhan fwyaf o bobl y pentref wedi gweld yr awyren, ond dim ond ni ein tri oedd wedi bod yno pan laniodd hi, a dim ond ni oedd wedi siarad â'r peilot. Roeddwn i mor falch o hynny – yn rhy falch fel y digwyddodd hi. Adroddais y stori, sawl fersiwn wedi ymestyn ohoni, dro ar ôl tro yn yr ysgol, gan ddangos y losin i bawb i brofi bod popeth roeddwn i wedi'i ddweud yn wir. Ond rhaid bod rhywun wedi bod yn clepian, achos daeth Mr Morris draw'n syth ataf i yn y dosbarth, a heb reswm o gwbl dwedodd wrthyf am wacáu fy mhocedi. Roedd tri o'r losin gwerthfawr ar ôl ac fe aeth e â phob un. Wedyn aeth â fi gerfydd fy nghlust o flaen y dosbarth lle rhoddodd chwe ergyd i mi â'r pren mesur yn ei ffordd arbennig ei hun, a'r ochr finiog ar fy mysedd. Wrth iddo wneud hynny edrychais i fyw ei lygaid a rhythu arno. Wnaeth hynny ddim i leddfu'r boen, a dwi'n siŵr hefyd na wnaeth hynny iddo deimlo'n euog am fy nghuro chwaith. Ond ar ôl ei herio'n swrth, teimlwn yn llawer gwell wrth gerdded at fy nesg.

Wrth i mi orwedd yn y gwely'r noson honno, a'm bysedd yn dal yn boenus, yswn am gael dweud wrth Wil am yr hyn oedd wedi digwydd yn yr ysgol, ond roeddwn i'n gwybod bod popeth ynghylch yr ysgol yn ei ddiflasu nawr, felly ddwedais i ddim gair. Ond po fwyaf roeddwn i'n gorwedd yno'n meddwl am fy mysedd a'r losin, mwyaf roeddwn i'n ysu am siarad ag ef. Gallwn glywed wrth ei anadlu ei fod yn dal ar ddihun. Am eiliad fer, meddyliais y byddai hon yn adeg dda i mi ddweud wrtho am Tada, a sut roeddwn i wedi'i ladd yn y goedwig yr holl flynyddoedd yn ôl. O leiaf byddai hynny o ddiddordeb iddo. Gwnes fy ngorau glas, ond allwn i ddim magu digon o blwc i ddweud wrtho. Yn y diwedd, y cyfan a ddwedais wrtho oedd bod Mr Morris wedi mynd â'r losin. "Dwi'n ei gasáu e," meddwn i. "Gobeithio y bydd e'n tagu arnyn nhw." Hyd yn oed wrth i mi siarad gallwn ddweud nad oedd Wil yn gwrando.

"Tomi," sibrydodd, "dwi mewn helynt."

"Beth wyt ti wedi'i wneud?" gofynnais iddo.

"Dwi mewn helynt mawr, ond allwn i ddim peidio. Wyt ti'n cofio Meg, y ci hela gwyn yn y Plas, yr un roedden ni'n ei hoffi?"

"Wrth gwrs," meddwn i.

"Wel, mae hi wedi bod yn ffefryn i mi fyth ers hynny. Ac yna'r prynhawn 'ma dyma'r Cyrnol yn dod heibio ac yn dweud wrtha i … dweud wrtha i y bydd yn rhaid iddo saethu Meg. Felly gofynnais iddo pam. Achos mae hi'n mynd braidd yn hen, braidd yn araf, meddai fe. Achos pan fyddan nhw'n mynd allan i hela mae hi wastad yn crwydro ar ei phen ei hun ac yn mynd ar goll. Dyw hi'n dda i ddim i hela mwyach, meddai, yn dda i ddim i neb. Gofynnais iddo beidio, Tomi. Dwedais wrtho mai hi oedd fy ffefryn i. 'Ffefryn!' meddai, gan chwerthin arnaf. 'Ffefryn? Sut galli di fod â ffefryn? Hen siarad gwag sentimental. Dim ond creadur yw hi, fachgen, a phaid ag anghofio hynny.' Dyma fi'n ymbil arno, Tomi. Dywedais wrtho na ddylai ei saethu hi. Dyna pryd aeth e'n grac iawn. Dywedodd mai ei gŵn hela ef oedden nhw ac y byddai'n eu saethu pan fydd yn dymuno gwneud hynny, ac nad oedd eisiau fy nghlywed i'n sôn rhagor am y peth. Felly wyt ti'n gwybod beth wnes i, Tomi? Ei dwyn hi. Fe redais i ffwrdd gyda hi ar ôl iddi nosi, drwy'r coed fel na fyddai neb yn ein gweld ni."

"Ble mae hi nawr?" gofynnais. "Beth wyt ti wedi'i wneud â hi?"

"Wyt ti'n cofio'r hen gwt coedwigwyr roedd Tada'n arfer ei

ddefnyddio, yng Nghoed y Wern? Dwi wedi'i rhoi hi yno dros nos. Mae hi wedi cael bwyd gen i. Fe ddygodd Mair damaid o gig drosta i o'r gegin. Fe fydd hi'n iawn lan fan'na. Fydd neb yn ei chlywed hi, gyda lwc beth bynnag."

"Ond beth wnei di â hi yfory? Beth os daw'r Cyrnol i wybod?"

"Wn i ddim, Tomi," meddai Wil. "Wn i ddim."

Prin y cysgon ni o gwbl y noson honno. Gorweddais yno'n gwrando am Meg drwy'r amser. Pan es i gysgu o'r diwedd, roeddwn i'n dihuno'n sydyn bob hyn a hyn ac yn meddwl fy mod wedi clywed Meg yn cyfarth. Ond cipial cadnoid oedd i'w glywed bob tro. A chri tylluan unwaith, yn union y tu allan i'n ffenest ni.

PEDAIR MUNUD AR HUGAIN WEDI DEUDDEG

Dwi ddim wedi gweld cadno ers i mi fod yma. Dyw hynny ddim yn syndod, mae'n debyg. Ond dwi wedi clywed tylluanod. Sut mae unrhyw aderyn yn gallu byw drwy hyn i gyd, dwn i ddim. Dwi hyd yn oed wedi gweld ehedyddion yn hedfan dros dir neb. Mae hynny'n arwydd o obaith i mi bob amser.

* * *

"Fe fydd e'n gwybod," sibrydodd Wil wrthyf yn y gwely gyda'r wawr. "Cyn gynted ag y byddan nhw'n gweld bod Meg wedi mynd, bydd y Cyrnol yn gwybod mai fi wnaeth. Ddweda i ddim wrtho ble mae hi. Does dim ots gyda fe beth wnaiff e, ddweda i 'run gair."

Bwytaodd Wil a minnau ein brecwast mewn tawelwch, gan obeithio na fyddai'r storm anochel yn torri, ond gan wybod y byddai hynny'n digwydd yn hwyr neu'n hwyrach. Synhwyrai Sam Mawr fod rhywbeth o'i le – roedd wastad yn gallu teimlo pryder yn yr awyr. Roedd yn siglo'n ôl a blaen ac yn gwrthod cyffwrdd â'i frecwast. Oherwydd hynny roedd Mam hefyd yn gwybod bod rhywbeth yn bod. Pan oedd hi'n amheus, roedd Mam yn berson anodd i guddio pethau rhagddi, a doedden ni ddim yn dda iawn am wneud chwaith, ddim y bore hwnnw.

"Ydy Mair yn dod draw?" gofynnodd, gan ddechrau holi.

Curodd rhywun yn uchel ac yn bendant ar y drws. Fe wyddai hi ar unwaith nad Mair oedd yno. Roedd hi'n rhy gynnar i Mair, a beth bynnag doedd hi ddim yn curo ar y drws fel 'na. Hefyd, dwi'n meddwl ei bod hi'n gallu gweld yn barod wrth ein hwynebau ni fod Wil a minnau'n disgwyl ymwelydd nad oedd croeso iddo. Fel roeddem ni'n ofni, y Cyrnol oedd yno.

Gofynnodd Mam wahoddiad iddo ddod i mewn. Safodd y Cyrnol yno'n edrych yn gas arnom, ei wefusau'n llinell denau a'i wyneb yn welw gan ddicter. "Dwi'n credu eich bod chi'n gwybod pam dwi yma, Mrs Griffiths," meddai.

"Nac ydw, Cyrnol, dydw i ddim," meddai Mam.

"Felly dyw'r diawl bach ddim wedi dweud wrthoch chi." Roedd e'n gweiddi nawr, yn ysgwyd ei ffon tuag at Wil. Dechreuodd Sam Mawr grio a chydio'n dynn yn llaw Mam wrth i'r Cyrnol weiddi'n ddiddiwedd.

"Lleidr diegwyddor yw eich mab chi. Yn gyntaf mae'n dwyn yr eog o'r afon sy'n berchen i mi. A nawr, ac yntau'n gweithio i mi mewn swydd gyfrifol, mae'n dwyn un o'm cŵn hela i. Paid â gwadu'r peth, fachgen, dwi'n gwybod mai ti wnaeth. Ble mae hi? Ydy hi fan hyn? Ydy hi?"

Edrychodd Mam ar Wil am eglurhad.

"Roedd e'n mynd i'w saethu hi, Mam," meddai'n gyflym. "Roedd yn rhaid i mi wneud."

"Ry'ch chi'n gweld!" bloeddiodd y Cyrnol. "Mae'n cyfaddef y peth! Mae'n cyfaddef!"

Roedd Sam Mawr yn crio nawr a Mam yn rhedeg ei llaw dros ei wallt, yn ceisio'i gysuro a'i dawelu wrth iddi siarad. "Felly fe est ti â hi er mwyn ceisio'i hachub hi, Wil, do fe?"

"Do, Mam."

"Wel, ddylet ti ddim fod wedi gwneud hynny, Wil, na ddylet?"

"Na ddylwn, Mam."

"Ddwedi di wrth y Cyrnol lle rwyt ti wedi ei chuddio hi?"

"Na wnaf, Mam."

Meddyliodd Mam am eiliad neu ddwy. "Do'n i ddim yn meddwl y byddet ti'n dweud," meddai. Edrychodd yn syth i wyneb y Cyrnol. "Cyrnol, ydw i'n iawn wrth feddwl eich bod chi'n mynd i saethu'r ci yma, mae'n debyg achos nad yw hi'n dda i ddim i chi bellach – fel ci hela, felly?"

"Ydych," atebodd y Cyrnol, "ond dyw hynny ddim yn fusnes i chi, Mrs Griffiths, beth wnaf i gyda fy anifeiliaid fy hunan, neu pam dwi'n gwneud hynny. Does dim rhaid i mi egluro fy hunan i chi."

"Nac oes, wrth gwrs." meddai Mam yn dawel, bron yn annwyl, "ond os oeddech chi'n mynd i'w saethu hi beth bynnag, fyddai dim gwahaniaeth gyda chi wedyn petawn i'n ei chymryd hi oddi ar eich dwylo chi a gofalu amdani, na fyddai?"

"Fe gewch chi wneud beth fynnoch chi â'r ast ddiawl,"

meddai'r Cyrnol yn swta. "Fe gewch chi ei bwyta hi, o'm rhan i. Ond fe ddygodd eich mab chi'r ast oddi wrtha i, a chaiff e ddim dianc heb gosb."

Gofynnodd Mam i Sam Mawr fynd i nôl y mẁg arian oddi ar y silff ben tân. "Dyma chi, Cyrnol," meddai, gan gynnig darn o arian iddo'n dawel. "Chwe cheiniog. Dwi'n prynu'r ci oddi arnoch chi am chwe cheiniog; dyw e ddim yn bris gwael am gi sydd o ddim gwerth i chi. Felly nawr dyw hi ddim wedi cael ei dwyn, ydy hi?"

Roedd y Cyrnol yn syfrdan. Edrychodd ar y darn arian yn ei law ac yna ar Mam a Wil. Roedd yn anadlu'n drwm. Wedyn, daeth ato'i hun unwaith eto, rhoi'r chwe cheiniog ym mhoced ei wasgod a phwyntio'i ffon at Wil. "Popeth yn iawn, ond dwyt ti ddim bellach yn cael dy gyflogi gen i." Ar hynny trodd ar ei sawdl ac allan ag ef, gan gau'r drws yn glep ar ei ôl. Gwrandawon ni ar sŵn ei draed yn mynd i lawr y llwybr, a chlywed y glwyd yn gwichian.

Aeth Wil a minnau'n wyllt, yn bennaf o ryddhad, ond hefyd roeddem ni mor ddiolchgar ac yn llawn edmygedd. Roedd Mam mor wych! Buom ni'n gweiddi hwrê'n ddiddiwedd. Roedd Sam Mawr yn hapus eto, a bu'n canu *Si-so, jac-y-do* wrth garlamu'n wyllt o gwmpas y gegin.

"Dwi ddim yn gwybod pam rwyt ti mor falch," meddai Mam ar ôl i ni ymdawelu. "Wyt ti'n sylweddoli dy fod ti newydd golli dy swydd, Wil?"

"Does dim gwahaniaeth gyda fi," meddai Wil. "Fe gaiff e

stwffio'i dipyn swydd. Fe ddof i o hyd i un arall. Fe roist ti'r hen rech yn ei le'n wych. Ac mae Meg gyda ni."

"Ble mae hi beth bynnag?" gofynnodd Mam.

"Fe ddangosa i i ti," meddai Wil.

Arhoson ni tan i Mair ddod ac yna aethon ni i gyd i Goed y Wern gyda'n gilydd. Wrth i ni nesáu at y cwt, gallem glywed Meg yn udo. Rhedodd Wil o'n blaenau ni ac agor y drws. Allan â hi, a rhedeg atom, yn gwichian o lawenydd, a'i chynffon yn taro yn erbyn ein coesau. Neidiai i fyny atom i gyd yn ein tro, gan lyfu popeth posib, ond cymerodd at Sam Mawr yn arbennig. Bu'n ei ddilyn i bobman wedi hynny. Roedd hi hyd yn oed yn cysgu ar ei wely gyda'r nos – roedd Sam Mawr yn mynnu, er gwaethaf protestiadau Mam. Byddai hi'n eistedd o dan ei goeden afalau, gan udo wrth iddo ganu iddi i fyny fry yn y canghennau. Dim ond iddo ddechrau canu, byddai hi'n ymuno, felly o hynny allan ni fyddai Sam byth yn canu *Si-so, jac-y-do* yn ddigyfeiliant. Roedden nhw gyda'i gilydd bob amser. Byddai Sam yn ei bwydo, yn ei chribo ac yn clirio'r pyllau roedd hi'n aml yn eu gadael ar ei hôl (roedden nhw'n debycach i lynnoedd). Roedd Sam Mawr wedi cael ffrind newydd ac roedd e ar ben ei ddigon.

Ar ôl ychydig wythnosau'n crwydro pob fferm yn y plwyf yn chwilio am waith, cafodd Wil swydd yn gofalu am y fuches odro a'r defaid ar fferm Daniel Puw ar ochr draw'r pentref. Byddai'n mynd cyn codi cŵn Caer ar ei feic i odro ac yn dod adref yn hwyr, felly roeddwn i'n gweld llai ohono nag o'r blaen, hyd yn oed. Dylai fod wedi bod yn llawer hapusach yno. Roedd yn hoffi'r gwartheg a'r defaid, er ei fod yn dweud bod y defaid ychydig yn dwp. Y peth gorau, meddai, oedd nad oedd y Cyrnol a'r Fleiddast ar ei ben drwy'r dydd.

Ond doedd Wil, fel finnau, ddim yn hapus o bell ffordd, oherwydd roedd Mair wedi peidio â dod i ymweld â ni'n sydyn. Roedd Mam yn siŵr mai un rheswm yn unig allai fod am hyn. Rhaid bod rhywun wedi lledu'r stori – ac roedd hi'n meddwl mai dim ond y Cyrnol neu'r Fleiddast neu'r ddau allai fod wrthi – fod Wil Griffiths yn lleidr, ac felly nad oedd ei deulu'n addas i Mair ymweld â nhw. Dywedodd Mam y dylai Wil adael llonydd i bethau am dipyn, y byddai Mair yn dod 'nôl. Ond roedd Wil yn gwrthod gwrando. Dro ar ôl tro aeth i fwthyn Mair. Roedden nhw hyd yn oed yn gwrthod ateb y drws. Yn y diwedd, oherwydd ei fod yn meddwl y byddai gwell gobaith gen i o weld Mair, anfonodd fi draw â llythyr iddi. Rywsut, meddai, roedd yn rhaid i mi ei roi iddi. Roedd yn rhaid i mi.

Daeth mam Mair i ateb y drws a'i hwyneb fel taran. "Cadwch draw," gwaeddodd arna i. "Cadwch draw, wir. Dy'ch chi ddim yn deall? Dy'n ni ddim eisiau pobl fel chi yma. Dy'n ni ddim eisiau i chi boeni Mair ni. Dyw hi ddim eisiau eich gweld chi." Ac ar hynny dyma hi'n cau'r drws yn glep yn fy wyneb. Roeddwn i'n cerdded am adref, a llythyr Wil yn fy mhoced, pan ddigwyddais edrych 'nôl a gweld Mair yn chwifio'i dwylo'n wyllt drwy'r ffenest. Roedd ei cheg yn gwneud siâp geiriau. Allwn i ddim deall o gwbl beth roedd hi'n ddweud i ddechrau, roedd hi'n gwneud ystumiau ac yn pwyntio i lawr y rhiw i gyfeiriad y nant. Yna fe wyddwn yn union beth roedd hi eisiau i mi ei wneud.

Rhedais i lawr i'r nant ac aros o dan y coed lle roeddem ni'n arfer pysgota gyda'n gilydd. Doedd dim rhaid i mi aros yn hir cyn iddi ddod. Cydiodd fy llaw heb ddweud gair, a'm harwain o dan y dorlan lle na allai neb ein gweld ni. Roedd hi'n crio wrth iddi ddweud popeth wrthyf: fel roedd y Cyrnol wedi dod i'r bwthyn – roedd hi wedi clywed y cyfan – fel roedd e wedi dweud wrth ei thad mai lleidr oedd Wil Griffiths; fel roedd wedi clywed bod Wil Griffiths wedi bod yn gweld mwy o Mair nag oedd o les iddi, ac os oedd gronyn o synnwyr ym mhen tad Mair, y dylai roi stop ar y cyfan. "Felly dyw fy nhad ddim yn gadael i mi weld Wil rhagor. Dyw e ddim yn gadael i mi weld unrhyw un ohonoch chi," meddai Mair wrthyf, gan sychu ei dagrau. "Dwi mor drist hebddoch chi, Tomi. Dwi'n casáu bod yn y Plas heb Wil, a dwi'n casáu bod gartref hefyd. Bydd 'nhad yn fy nghuro i os gwelaf i Wil. Ac mae'n dweud y bydd e'n saethu Wil os daw e'n agos ataf i. Dwi'n credu ei fod e o ddifrif, cofia."

"Pam?" gofynnais. "Pam mae e fel 'na?"

"Mae e wastad wedi bod fel 'na," meddai. "Mae e'n dweud fy mod i'n ddrwg. Wedi fy ngeni'n llawn pechod. Mae Mam yn dweud mai dim ond ceisio fy achub rhag fy hunan mae e, rhag i mi gael fy nhaflu i Uffern. Mae e wastad yn siarad am

Uffern. Fydda i ddim yn mynd i Uffern, na fyddaf, Tomi?"

Heb feddwl am y peth, pwysais draw a rhoi cusan iddi ar ei boch. Taflodd fy mreichiau amdanaf, a chrio fel petai ei chalon ar fin torri'n ddwy. "Dwi'n ysu am weld Wil," llefodd. "Dwi'n gweld ei eisiau'n ofnadwy." Dyna pryd y cofiais roi'r llythyr iddi. Rhwygodd ef ar agor a'i ddarllen ar unwaith. Doedd e ddim yn llythyr hir achos darllenodd hi fe mor gyflym. "Dwed y gwnaf i. Gwnaf," meddai, a'i llygaid yn disgleirio unwaith eto'n sydyn.

"Dim ond 'gwnaf'?" gofynnais, yn chwilfrydig, yn ddryslyd ac yn eiddigeddus ar yr un pryd.

"Ie. Yr un amser, yr un lle, yfory. Fe ysgrifenna i lythyr 'nôl ato ac fe gei di ei roi e i Wil. O'r gorau?" Safodd a'm tynnu innau ar fy nhraed. "Dwi'n dy garu di, Tomi. Dwi'n eich caru chi'ch dau. A Sam Mawr, a Meg." Rhoddodd gusan sydyn i mi ac i ffwrdd â hi.

Dyna'r cyntaf o ddwsinau o lythyrau y bues i'n eu cario oddi wrth Wil at Mair ac oddi wrth Mair at Wil dros yr wythnosau a'r misoedd dilynol. Gydol fy mlwyddyn olaf yn yr ysgol, fi oedd eu llatai nhw. Doedd dim gwahaniaeth gen i, wir, oherwydd fy mod i'n cael gweld Mair yn aml; dyna'r cyfan oedd yn bwysig i mi. Roedd popeth yn gwbl gyfrinachol – roedd Wil yn mynnu. Gorfododd fi i dyngu ar y Beibl na fyddwn i'n dweud gair wrth neb, ddim wrth Mam hyd yn oed. Gorfododd fi i ddweud 'cris-croes, tân poeth'.

Byddai Mair a minnau'n cwrdd bron bob fin nos ac yn

cyfnewid llythyrau yn yr un lle, i lawr wrth y nant, ar ôl i'r ddau ohonom wneud yn siŵr nad oedd neb wedi ein dilyn. Byddem yn eistedd ac yn siarad yno am rai munudau gwerthfawr, a'r glaw'n aml yn diferu drwy'r brigau. Dwi'n cofio unwaith bod y gwynt yn rhuo mor wyllt o'n cwmpas fel 'mod i'n credu y gallai'r coed gwympo ar ein pennau ni. Gan ofni am ein bywydau, rhedodd y ddau ohonom dros y ddôl a thyllu ein ffordd i waelod tas wair gan aros yno'n crynu fel dwy gwningen ofnus.

Yng nghysgod y das wair yma y clywais gyntaf am y rhyfel. Pan oedd Mair yn siarad, am Wil roedd hi'n siarad gan amlaf, os nad bob amser – roedd hi ar dân eisiau clywed ei hanes. Doeddwn i byth yn dangos bod gwahaniaeth gen i, ond roedd hynny'n brifo. Felly roeddwn i'n eithaf hapus y diwrnod hwnnw pan ddechreuodd sôn bod pawb yn y Plas y dyddiau hyn yn siarad am fynd i ryfel â'r Almaen, a bod pawb yn meddwl y byddai'n digwydd cyn hir. Roedd hi wedi darllen am y peth ei hunan yn y papur, felly gwyddai fod y cyfan yn wir.

Gwaith Mair bob bore, meddai, oedd smwddio *The Times*, papur newydd y Cyrnol, cyn iddi fynd ag ef iddo i'w stydi. Mae'n debyg ei fod yn mynnu bod ei bapur newydd yn sych grimp, rhag i'r inc faeddu ei fysedd wrth iddo ei ddarllen. Doedd hi ddim yn deall rhyw lawer am y rhyfel, roedd hi'n cyfaddef, dim ond bod rhyw archddug – beth bynnag oedd hynny – wedi cael ei saethu mewn lle o'r enw Sarajevo – ble bynnag roedd hynny – a bod yr Almaen a Ffrainc yn wyllt gacwn am y peth. Roedden nhw'n codi byddinoedd i ymladd â'i gilydd, a phetaen nhw'n gwneud hynny byddem ni yn y frwydr cyn hir achos byddai'n rhaid i ni ymladd ar ochr Ffrainc yn erbyn yr Almaen. Doedd hi ddim yn gwybod pam. Roedd y cyfan yn gymaint o ddirgelwch i mi ag yr oedd e iddi hi. Dywedodd fod y Cyrnol mewn hwyliau drwg ofnadwy o achos yr holl beth, a bod ei hwyliau drwg ef yn codi mwy o arswyd ar bawb yn y Plas na'r rhyfel, hyd yn oed.

Ond mae'n debyg fod y Cyrnol fel oen y dyddiau hyn o'i gymharu â'r Fleiddast (dyna roedd pawb yn ei galw hi nawr, nid dim ond ni). Mae'n debyg i rywun roi halen yn ei the yn lle siwgr ac roedd hi'n tyngu bod hynny'n fwriadol – ac roedd e, siŵr o fod, meddai Mair. Roedd hi wedi bod yn sôn yn ddiddiwedd am y peth fyth ers hynny, gan ddweud wrth bawb y byddai'n dod o hyd i'r person oedd yn gyfrifol. Yn y cyfamser, roedd hi'n trin pawb fel petaen nhw'n euog.

"Ti wnaeth?" gofynnais i Mair.

"Efallai," meddai gan wenu, "ac efallai ddim."

Roeddwn i eisiau rhoi cusan arall iddi bryd hynny, ond fentrais i ddim. Dyna fy nhrafferth i erioed. Dwi bob amser yn ofni mentro.

Roedd Mam wedi trefnu popeth cyn i mi adael yr ysgol. Roedd yn rhaid i mi fynd i weithio gyda Wil ar fferm Daniel Puw. Roedd Daniel Puw yn dechrau tynnu ymlaen mewn oedran, heb feibion ei hunan, ac roedd angen mwy o help arno ar y fferm. Roedd e'n eithaf hoff o'i beint hefyd, meddai Wil. Roedd hynny'n wir. Roedd e yn y dafarn bron bob nos. Roedd yn hoffi cwrw a chwarae ceilys, a chanu hefyd. Gwyddai'r hen ganeuon i gyd. Roedd yn eu cadw yn ei ben, ond dim ond ar ôl cael peint neu ddau y byddai'n canu. Felly ni fyddai byth yn canu ar y fferm. Roedd o bob amser braidd yn surbwch ar y fferm, ond yn deg, yn deg bob amser.

I ddechrau byddwn i'n mynd yno i ofalu am y ceffylau. Allwn i byth fod wedi cael lle gwell. Roeddwn i gyda Wil unwaith eto, yn gweithio ochr yn ochr ag ef ar y fferm. Roeddwn i wedi tyfu a bellach bron cyn daled ag ef, ond doeddwn i ddim cyn gyflymed o hyd, na chyn gryfed. Roedd e'n dipyn o fòs arna i weithiau, ond doedd hynny ddim yn fy mhoeni – dyna ei waith wedi'r cyfan. Roedd pethau'n newid rhyngom ni. Doedd Wil ddim yn fy nhrin fel bachgen mwyach, ac roeddwn i'n hoffi hynny – yn ei hoffi'n fawr iawn.

Roedd y rhyfel wedi dechrau erbyn hynny, a'r papurau'n llawn o'r hanes. Ond ar wahân i'r fyddin yn dod i'r pentref ac yn prynu llawer o geffylau'r ffermydd lleol ar gyfer y milwyr, doedd e ddim wedi effeithio arnom ni o gwbl. Ddim eto. Roeddwn i'n dal yn bostmon i Wil, yn dal yn bostmon i Mair. Felly roeddwn i'n gweld Mair yn aml, er nad mor aml ag o'r blaen. Am ryw reswm roedd llai o lythyrau rhyngddyn nhw erbyn hyn. Ond o leiaf, gan fy mod i bellach yn gweithio gyda Wil am chwe diwrnod yr wythnos, roeddem ni ein tri i gyd gyda'n gilydd unwaith eto mewn ffordd, a'r llythyrau'n gysylltiad rhyngom. Yna cafodd y cysylltiad ei dorri'n greulon, a'r hyn a ddigwyddodd wedyn yn torri fy nghalon, yn torri ein calonnau ni i gyd.

Dwi'n cofio bod Wil a minnau wedi bod yn lladd gwair gyda Dan Puw, y bwncathod ifanc yn cylchdroi o'n cwmpas drwy'r dydd, a'r gwenoliaid yn gwibio'n isel dros y gwair ar lawr wrth i'r cysgodion ymestyn ac wrth i'r nos dywyllu. Cyrhaeddom ni adref yn hwyrach nag arfer, yn llwch i gyd, wedi ymlâdd, ac yn llwgu eisiau bwyd hefyd. Yn y bwthyn roedd Mam yn eistedd yn ei chadair yn gwnïo a Mair gyferbyn â hi ac, er syndod i ni, roedd ei mam hi yno hefyd. Roedd pawb yn yr ystafell yn edrych mor chwerw â mam Mair, hyd yn oed Mair ei hun, a'i llygaid hi yn amlwg yn goch ar ôl iddi fod yn crio. Roedd udo Meg y tu allan yn y sied yn creu awyrgylch fygythiol.

"Wil," meddai Mam, gan roi ei gwnïo o'r neilltu. "Mae mam Mair wedi bod yn disgwyl amdanat ti. Mae ganddi rywbeth i'w ddweud wrthot ti."

"Chi piau'r rhain, dwi'n credu," meddai mam Mair, a'i llais yn galed fel carreg. Rhoddodd becyn o lythyrau wedi'u clymu â rhuban glas i Wil. "Fe ddes i o hyd iddyn nhw. Dwi wedi darllen pob un ohonyn nhw. A thad Mair hefyd. Felly rydyn ni'n gwybod. Rydyn ni'n gwybod y cyfan. Does dim pwynt i ti wadu dim, Wil Griffiths. Mae'r dystiolaeth fan hyn, yn y llythyrau 'ma. Mae Mair wedi cael ei chosbi'n barod, mae ei thad wedi gwneud yn siŵr o hynny. Dwi erioed wedi darllen dim byd cyn waethed yn fy myw. Erioed. Yr holl siarad cariadus yna. Ych-a-fi. Ond ry'ch chi wedi bod yn cwrdd hefyd, on'd ydych chi?"

Edrychodd Wil draw ar Mair. Roedd yr olwg rhyngddynt yn dweud popeth, a gwyddwn bryd hynny eu bod nhw wedi fy mradychu.

"Ydyn," meddai Wil.

Allwn i ddim credu'r hyn roedd e'n ei ddweud. Doedden nhw ddim wedi dweud gair wrthyf i. Roedden nhw wedi bod yn cwrdd yn gyfrinachol a doedd 'run ohonyn nhw wedi dweud wrthyf.

"Dyna ni. Fe ddwedais i wrthoch chi, on'd do, Mrs Griffiths?" Aeth mam Mair yn ei blaen, a'i llais cynddeiriog yn crynu.

"Mae'n ddrwg gen i," meddai Mam. "Ond pam eich bod mor bendant na ddylen nhw fod yn cwrdd? Mae Wil yn ddwy ar bymtheg nawr, a Mair yn un ar bymtheg. Yn ddigon hen, ddwedwn ni. Dwi'n siŵr ein bod ni'n dwy wedi bod yn cwrdd ag ambell un pan oedden ni yn eu hoedran nhw."

"Siaradwch chi drosoch eich hunan, Mrs Griffiths," atebodd mam Mair yn ffroenuchel. "Fe ddwedodd tad Mair a finnau'n ddigon clir wrth y ddau ohonyn nhw. Fe ddwedon ni nad oedden nhw'n cael gwneud dim â'i gilydd. Drygioni yw hyn, Mrs Griffiths, drygioni pur. Mae'r Cyrnol wedi ein rhybuddio ni, wyddoch chi, mai lleidr drwg yw eich mab. O ydyn, ry'n ni'n gwybod popeth amdano fe."

"Wir?" meddai Mam. "Dwedwch wrtha i, ydych chi bob amser yn gwneud fel mae'r Cyrnol yn ei ddweud? Petai'n dweud bod y ddaear yn wastad, fyddech chi'n ei gredu fe? Neu dim ond eich bygwth chi wnaeth e? Mae'n un da am wneud hynny."

Safodd mam Mair ar ei thraed, yn llawn dicter hunangyfiawn. "Dwi ddim wedi dod yma i ddadlau. Dwi wedi dod yma i ddweud wrthoch chi am gamweddau eich mab, a dweud na fydda i'n dioddef ei weld yn tywys Mair ni ar hyd ffyrdd drygioni a phechod. Chaiff e mo'i gweld hi byth eto, ydych chi'n clywed? Os gwnaiff e, fe gaiff y Cyrnol wybod am y peth, o caiff. Does gen i ddim rhagor i'w ddweud. Dere, Mair." Cydiodd yn dynn yn llaw Mair ac i ffwrdd â hi, gan ein gadael ninnau'n edrych ar ein gilydd ac yn gwrando ar Meg yn dal i udo.

"Wel," meddai Mam ar ôl tipyn. "Fe af i wneud swper i chi, fechgyn, o'r gorau?"

Y noson honno gorweddais yno wrth ochr Wil heb yngan gair. Roeddwn yn llawn dicter a chwerwder tuag ato fel nad oedd gen i awydd siarad ag ef byth eto, na chwaith â Mair o ran hynny. Yna o'r tawelwch meddai: "O'r gorau, fe ddylwn i fod wedi dweud wrthot ti, Tomi. Fe dywedodd Mair y dylwn i ddweud wrthot ti. Ond doeddwn i ddim eisiau. Allwn i ddim, dyna i gyd."

"Pam lai?" gofynnais. Atebodd e ddim am rai eiliadau.

"Achos dwi'n gwybod, ac mae hithau'n gwybod hefyd.

Dyna pam nad oedd hi'n fodlon dweud wrthot ti ei hunan," meddai Wil.

"Gwybod beth?"

"Pan oedden ni'n anfon llythyrau at ein gilydd, a dim mwy, doedd dim cymaint o wahaniaeth. Ond wedyn, ar ôl i ni ddechrau gweld ein gilydd … doedden ni ddim eisiau cuddio'r peth, Tomi, wir i ti. Ond doedden ni ddim eisiau dy frifo di chwaith. Rwyt ti'n ei charu hi, on'd wyt ti?" Atebais i ddim. Doedd dim angen. "Wel, a finnau hefyd, Tomi. Felly fe fyddi di'n deall pam y bydda i'n dal ati i'w gweld hi. Fe ddof o hyd i ryw ffordd, beth bynnag mae'r hen fuwch 'na'n ei ddweud." Trodd ataf i. "Ydyn ni'n dal yn ffrindiau?" meddai.

"Ffrindiau," meddwn i o dan fy ngwynt, ond doeddwn i ddim yn dweud y gwir.

Ar ôl hynny siaradon ni 'run gair am Mair. Ofynnais i byth achos doeddwn i ddim eisiau gwybod. Doeddwn i ddim eisiau meddwl am y peth, hyd yn oed, ond dyna wnes i. Dyna'r cyfan roeddwn i'n meddwl amdano.

Allai neb ddeall pam, ond ychydig ar ôl hyn byddai Meg yn mynd ar goll o dro i dro. Doedd hi byth yn crwydro o gwbl cyn hyn; roedd hi bob amser wedi cadw'n glòs at Sam Mawr. Ble bynnag roedd Sam Mawr, dyna lle y byddai Meg. Roedd Sam Mawr yn poeni'n ofnadwy bob tro y byddai hi'n mynd ar goll. Byddai hi'n dod yn ôl adref yn y diwedd, wrth gwrs, pan fyddai hi'n teimlo felly. Naill ai hynny neu byddai Mam a Sam yn dod o hyd iddi yn rhywle'n fwd i gyd ac yn wlyb ac ar goll, a bydden nhw'n dod â hi adref. Ond y gofid mawr oedd y byddai hi'n dechrau cwrso defaid neu wartheg, y byddai rhyw ffermwr neu berchennog tir yn ei saethu hi, fel y bydden nhw'n saethu unrhyw gi y bydden nhw'n ei weld yn tresmasu ar eu tir nhw ac a allai fod yn poeni eu hanifeiliaid. Drwy lwc doedd hi ddim yn edrych fel petai Meg yn mynd i gwrso defaid, a beth bynnag, hyd yma doedd hi erioed wedi bod ar goll am amser hir, nac wedi crwydro'n rhy bell chwaith.

Gwnaethon ni ein gorau glas i geisio ei hatal hi rhag crwydro. Ceisiodd Mam ei chau yn y sied, ond allai Sam Mawr ddim dioddef ei chlywed hi'n udo a byddai'n ei gollwng yn rhydd. Ceisiodd Mam ei chlymu hi, ond byddai Meg yn cnoi'r rhaff ac yn swnian yn ddiddiwedd. Felly, yn y diwedd, byddai Sam Mawr bob amser yn cymryd trueni drosti ac yn mynd i'w gollwng yn rhydd.

Yna, un prynhawn, aeth Meg ar goll eto. Y tro hwn, ddaeth hi ddim 'nôl. Y tro hwn methon ni ddod o hyd iddi. Doedd Wil ddim o gwmpas. Aeth Mam a Sam Mawr un ffordd i chwilio amdani, i lawr tuag at yr afon, ac es innau i fyny i'r goedwig, gan chwibanu a galw amdani. Roedd ceirw yng Nghoed y Wern, a moch daear a chadnoid. Dyna'n union y math o le y byddai hi'n mynd iddo. Roeddwn i wedi bod am awr neu fwy yn chwilio yn y goedwig a doedd dim sôn amdani. Roeddwn i ar fin rhoi'r gorau iddi a mynd am adref – efallai ei bod wedi mynd adref beth bynnag erbyn hyn, meddyliais – pan glywais ergyd dryll yn atseinio dros y dyffryn. Deuai'r sŵn o rywle'n

Mae lleuad denau y tu allan, lleuad newydd. Tybed a ydyn nhw'n edrych arni gartref? Roedd Meg yn arfer udo ar y lleuad, dwi'n cofio. Petai gen i ddarn o arian yn fy mhoced, byddwn yn ei droi ac yn gwneud dymuniad. Pan oeddwn i'n ifanc roeddwn i wir yn credu yn yr holl chwedlau yna. Trueni na fyddwn i'n dal i gredu ynddynt.

Ond ddylwn i ddim meddwl fel yna. Does dim pwynt dymuno cael popeth, dim pwynt dymuno cael yr amhosibl. Paid â gwneud dymuniad, Tomi. Cofia. Pethau go iawn yw atgofion.

* * *

Claddon ni Meg yr un diwrnod, yn y man lle roedd Sam Mawr yn arfer claddu ei greaduriaid, lle roedd y llygoden wedi cael ei chladdu, ar waelod y berllan. Ond y tro yma penderfynon ni beidio â gweddïo. Dim blodau. Dim emynau. Rywsut allen ni ddim. Efallai ein bod ni i gyd yn rhy ddig i alaru. Wrth i ni gerdded drwy'r goedwig wedyn, roedd Sam Mawr yn pwyntio fry i'r awyr ac yn gofyn i Mam a oedd Meg yn y Nefoedd gyda Tada nawr. Dywedodd Mam ei bod hi. Wedyn gofynnodd Sam Mawr a ydyn ni i gyd yn mynd i'r Nefoedd ar ôl i ni farw.

"Dyw'r Cyrnol ddim," meddai Wil o dan ei wynt. "Yn

Uffern mae ei le fe, lle bydd e'n llosgi." Edrychodd Mam yn grac arno am ddweud hynny.

"Ydy, Sam," meddai hi wedyn, a'i braich amdano. "Mae Meg yn y Nefoedd. Mae hi'n hapus nawr."

Y noson honno aeth Sam Mawr ar goll. Doedd dim un ohonom yn poeni'n fawr, ddim ar y dechrau, ddim a hithau'n dal yn olau. Byddai Sam Mawr yn aml yn crwydro ar ei ben ei hun o bryd i'w gilydd – roedd wastad wedi gwneud hynny – ond byth gyda'r nos, achos roedd ofn y tywyllwch ar Sam Mawr. Ein syniad cyntaf ni oedd edrych i lawr yn y berllan wrth fedd Meg, ond doedd dim sôn amdano. Buom yn galw arno, ond ni ddaeth. Felly, wrth iddi nosi ac yntau heb ddod adref byth, gwyddem fod rhywbeth mawr o'i le. Anfonodd Mam Wil a minnau i gyfeiriadau gwahanol. Es i lawr y lôn yn galw arno'r holl ffordd. I lawr â mi cyn belled â'r nant. Yno, arhosais a gwrando amdano, am sŵn trwm ei draed, am ei ganu. Roedd yn canu'n wahanol pan oedd ofn arno, dim alawon neu ganeuon, ond rhyw sŵn undonog, wylofus. Ond doedd dim i'w glywed, dim ond y nant yn llifo, a'r sŵn bob amser yn uwch gyda'r nos. Gwyddwn y byddai ofn mawr ar Sam Mawr erbyn hyn achos roedd hi'n eithaf tywyll. Es am adref, gan obeithio ar fy ngwaethaf y byddai naill ai Wil neu Mam wedi dod o hyd iddo.

Wrth i mi fynd i mewn i'r tŷ gallwn weld nad oedd yr un ohonynt wedi llwyddo. Edrychodd y ddau arnaf yn obeithiol wrth i mi ddod i mewn. Ysgydwais fy mhen. Yn y tawelwch a ddilynodd penderfynodd Mam beth i'w wneud. Doedd dim dewis, meddai. Y cyfan oedd yn bwysig oedd dod o hyd i Sam Mawr, ac roedd angen rhagor o bobl i wneud hynny. Byddai hi'n mynd i'r Plas yn syth i ofyn am help y Cyrnol. Anfonodd Wil a minnau i'r pentref i roi gwybod i bawb. Roeddem ni'n gwybod mai'r dafarn oedd y lle gorau i edrych, gan y byddai hanner y pentref yn y Llew Du erbyn hyn. Roedden nhw'n canu pan gyrhaeddon ni, a Daniel Puw yn uchel ei gloch. Cymerodd beth amser i'r rhialtwch a'r canu dawelu wrth i Wil ddweud wrthynt. Erbyn iddo orffen roedd pawb yn gwrando mewn tawelwch. Wedyn, aeth pawb ati ar unwaith. Roedden nhw'n gwisgo eu hetiau a'u cotiau ac yn mynd am adref i chwilio eu ffermydd, eu gerddi a'u siediau. Dywedodd y ficer y byddai'n cynnull criw o bobl yn neuadd y pentref i drefnu eu bod nhw'n chwilio o gwmpas y pentref ei hun, a chytunwyd mai sŵn cloch yr eglwys fyddai'r arwydd fod Sam Mawr wedi dod i'r golwg.

Wrth i bawb wasgaru i'r tywyllwch y tu allan i'r Llew Du, daeth Mair yno dan redeg. Roedd hi newydd glywed y newyddion am Sam Mawr. Ei syniad hi oedd y gallai fod yn rhywle yn y fynwent. Dwn i ddim pam nad oeddem ni wedi meddwl am hynny o'r blaen – dyna un o'i hoff fannau. Felly dyma'r tri ohonom yn mynd i'r fynwent. Galwon ni arno. Edrychon ni y tu ôl i bob carreg fedd, i fyny pob coeden. Doedd dim golwg ohono. Y cyfan glywson ni oedd sŵn y gwynt yn ochneidio yn yr ywen fawr. Y cyfan welson ni oedd goleuadau'n dawnsio drwy'r pentref, i lawr ar hyd y dyffryn.

Y tu draw i'r dyffryn, draw tua'r gorwel tywyll, roedd y wlad yn llawn goleuadau bychain yn symud. Gwyddem bryd hynny fod Mam wedi llwyddo i berswadio'r Cyrnol i gael pawb ar yr ystâd i ymuno â'r chwilio.

Erbyn i'r wawr dorri doedd dim sôn o hyd am Sam Mawr, dim golwg ohono yn unman. Roedd y Cyrnol wedi galw'r heddlu, ac wrth i'r amser fynd rhagddo roedd popeth yn awgrymu'r un ateb ofnadwy. Gwelsom yr heddlu'n chwilio'r pyllau a glannau'r afon â pholion hir – gwyddai pawb nad oedd Sam Mawr yn gallu nofio. Dyna pryd y dechreuais gredu y gallai'r gwaethaf fod wedi digwydd go iawn. Doedd neb yn meiddio lleisio'r ofn yma, ond roeddem ni i gyd yn dechrau ei synhwyro, ac yn ei synhwyro yn ein gilydd hefyd. Roeddem ni'n chwilio tir a chwiliwyd sawl gwaith yn barod. Fesul un, roedd pob eglurhad arall dros ddiflaniad Sam Mawr yn dechrau cael eu gosod o'r neilltu. Petai wedi cwympo i gysgu yn rhywle, mae'n siŵr y byddai wedi dihuno erbyn hyn. Petai wedi mynd ar goll, mae'n siŵr y byddai rhywun o'r holl gannoedd o bobl oedd yn chwilio amdano wedi dod o hyd iddo erbyn hyn. Roedd pawb a welwn yn welw a diflas. Roedd pawb yn gwneud eu gorau glas i wenu, ond allai neb edrych i fyw fy llygaid. Gallwn weld nad ofn yn unig oedd yno bellach. Roedd yn waeth na hynny. Roedd anobaith yn yr wynebau, rhyw deimlad eu bod yn ddiymadferth. Ni allent guddio'r teimlad hwnnw er gwneud eu gorau.

Tua hanner dydd, gan feddwl y gallai Sam Mawr fod wedi

dod o hyd i'r ffordd adref ar ei ben ei hun, aethon ni draw i weld. Dyna lle roedd Mam yn eistedd yno ar ei phen ei hun, yn cydio'n dynn ym mreichiau ei chadair ac yn syllu'n syth o'i blaen. Ceisiodd Wil a minnau godi ei chalon, a'i chysuro gystal ag y gallem. Dwi ddim yn credu i ni lwyddo. Gwnaeth Wil baned o de iddi ond roedd Mam yn gwrthod yfed dim. Eisteddodd Mair wrth ei thraed a rhoi ei phen yn ei chôl. Daeth hanner gwên i wyneb Mam wedyn. Gallai Mair roi cysur lle roeddem ni'n methu.

Gadawodd Wil a minnau'r ddwy gyda'i gilydd a mynd allan i'r ardd. Gan gydio yn yr ychydig obaith oedd gennym, dyma ni'n ceisio mynd yn ôl mewn amser, i weithio allan beth allai fod ym meddwl Sam Mawr i wneud iddo grwydro fel 'na. Efallai y gallen ni ddarganfod ble roedd wedi mynd petaen ni'n deall pam roedd wedi mynd. Oedd e'n chwilio am rywbeth, efallai, rhywbeth roedd wedi'i golli? Ond beth? Oedd e wedi mynd i weld rhywun? Os felly, pwy? Doedd dim dwywaith fod cysylltiad rhwng ei ddiflaniad sydyn a marwolaeth Meg. Y diwrnod blaenorol, roedd Wil a minnau wedi teimlo awydd mynd i'r Plas a lladd y Cyrnol am yr hyn a wnaethai. Efallai, meddylion ni, efallai bod Sam Mawr yn teimlo'r un fath. Efallai ei fod wedi mynd i ddial am farwolaeth Meg. Efallai ei fod yn llechu yn y Plas, yn yr atig, yn y seler, yn aros am ei gyfle i daro. Ond dyma ni'n sylweddoli, hyd yn oed wrth i ni eu trafod nhw, mai dim ond ffwlbri oedd syniadau o'r fath. Allai Sam Mawr ddim hyd yn oed feddwl am wneud y fath beth. Nid oedd erioed wedi gwylltio wrth neb, ddim hyd yn oed y Fleiddast – wedi'r cyfan, roedd hi wedi rhoi hen ddigon o reswm iddo. Roedd yn un hawdd iawn ei frifo, ond nid oedd byth yn gwylltio, ac yn sicr nid oedd byth yn dreisgar. Dro ar ôl tro byddai Wil a minnau'n creu sefyllfa newydd, a rheswm gwahanol dros ddiflaniad Sam Mawr. Ond yn y pen draw roedd yn rhaid i ni ddiystyried pob un ohonynt.

Yna gwelsom Mair yn dod i lawr yr ardd tuag atom. "Meddwl ro'n i," meddai hi, "meddwl tybed ble byddai Sam Mawr eisiau bod fwyaf."

"Beth wyt ti'n feddwl?" gofynnodd Wil.

"Wel, dwi'n meddwl y byddai eisiau bod ble bynnag mae Meg. Felly byddai eisiau bod yn y Nefoedd, oni fyddai? Hynny yw, mae e'n meddwl bod Meg yn y Nefoedd, on'd yw e? Fe glywais eich mam yn dweud wrtho. Felly petai eisiau bod gyda Meg, byddai'n rhaid iddo fynd i'r Nefoedd, oni fyddai?"

Meddyliais am un eiliad ofnadwy fod Mair yn awgrymu bod Sam Mawr wedi ei ladd ei hunan fel y gallai fynd i'r Nefoedd a bod gyda Meg. Doeddwn i ddim eisiau credu hynny, ond roedd yn gwneud rhyw fath o synnwyr ofnadwy. Yna eglurodd.

"Fe ddwedodd e wrtha i unwaith," aeth Mair ymlaen, "fod eich tad yn y Nefoedd a'i fod yn dal i allu ein gweld ni'n hawdd. Roedd e'n pwyntio i fyny fry, dwi'n cofio, a ddeallais i ddim yn iawn beth roedd e'n ceisio dweud wrtha i i ddechrau. Ro'n i'n meddwl mai dim ond pwyntio i'r awyr yn gyffredinol roedd e, neu bwyntio at yr adar efallai. Ond yna fe afaelodd yn fy llaw a gwneud i mi bwyntio gyda fe, i ddangos i mi. Roedden ni'n pwyntio i fyny at yr eglwys, at ben tŵr yr eglwys. Mae'n swnio'n hurt, ond dwi'n meddwl bod Sam Mawr yn credu bod y Nefoedd ar ben tŵr yr eglwys. Oes unrhyw un wedi edrych i fyny fan honno?"

Wrth wrando arni yn siarad cofiais fel roedd Sam Mawr wedi pwyntio at dŵr yr eglwys y diwrnod roeddem wedi claddu Tada, a'i fod wedi edrych yn ôl arno dros ei ysgwydd wrth iddo gerdded i ffwrdd.

"Wyt ti'n dod, Tomi?" meddai Wil. "Mair, wnei di aros gyda Mam? Fe ganwn ni'r gloch os bydd newyddion da." Dyma ni'n rhedeg drwy'r berllan, yn dringo drwy dwll yn y clawdd ac yn mynd ar draws y caeau tua'r nant – dyna fyddai'r ffordd gyflymaf i'r pentref. Tasgon ni ein ffordd drwy'r nant a gwibio ar draws y dolydd ac i fyny'r rhiw tua'r eglwys. Roedd hi'n anodd rhedeg cyn gyflymed â Wil. Roeddwn i'n edrych ar dŵr yr eglwys drwy'r amser wrth redeg, gan annog fy nghoesau i ddal ati, i fynd â mi'n gyflymach, gan weddïo drwy'r amser y byddai Sam Mawr i fyny fry yn ei nefoedd.

Cyrhaeddodd Wil y pentref o'm blaen ac roedd yn mynd fel y gwynt i fyny llwybr yr eglwys pan lithrodd ar y cerrig mân a chwympo'n drwm. Eisteddodd yno'n rhegi ac yn cydio yn ei goes tan i mi ei gyrraedd. Yna dyma Wil a minnau'n galw, "Sam! Sam! Wyt ti lan 'na?" Doedd dim ateb.

"Cer di, Tomi," meddai Wil, gan wingo mewn poen. "Dwi'n

credu fy mod i wedi troi fy migwrn." Agorais ddrws yr eglwys a cherdded i mewn i dywyllwch tawel y lle. Cerddais heibio rhaffau'r clychau, ac yn araf agorais ddrws bach y clochdy. Gallwn glywed Wil yn gweiddi, "Ydy e lan 'na? Ydy e 'na?" Nid atebais. Dechreuais ddringo'r grisiau troellog. Roeddwn wedi bod yn y clochdy o'r blaen, pan oeddwn i yn yr ysgol Sul. Roeddwn i hyd yn oed wedi canu yno yn y côr un dydd Iau Dyrchafael gyda'r wawr, pan oeddwn i'n fach.

Roeddwn i'n casáu'r grisiau'r tro hwnnw ac rwy'n dal i'w casáu nhw nawr. Dim ond ychydig o olau a ddeuai i mewn drwy holltau'r ffenestri. Roedd y waliau'n llaith ac yn llithrig. Dechreuodd yr oerfel a'r lleithder a'r tywyllwch gau amdanaf a'm hoeri wrth i mi deimlo fy ffordd yn uwch o hyd. Wrth i mi fynd heibio i'r clychau mawr llonydd gobeithiwn â'm holl galon y byddai un ohonynt yn canu cyn hir. Roeddwn i'n gwybod bod naw deg pump o risiau. Gyda phob cam roeddwn i'n ysu am gyrraedd pen y tŵr, am anadlu'r awyr olau eto, yn ysu am ddod o hyd i Sam Mawr.

Roedd y drws i ben y tŵr yn sownd ac yn gwrthod agor. Gwthiais ef yn galed, yn rhy galed, a dyma fe'n hedfan ar agor, a'r gwynt yn ei ddal yn sydyn. Camais allan i groeso cynnes y dydd, wedi fy nallu gan y goleuni. Ar y dechrau ni allwn weld dim. Ond wedyn, dyna lle roedd e. Roedd Sam Mawr yn gorwedd yn dorch o dan gysgod y wal. Roedd fel petai'n cysgu'n drwm, a'i fawd yn ei geg fel arfer. Doeddwn i ddim eisiau ei ddihuno'n rhy sydyn. Pan gyffyrddais â'i law, ni ddihunodd. Pan ysgydwais ei ysgwydd yn dyner, ni symudodd. Roedd yn teimlo'n oer ac yn welw, yn welw fel marwolaeth. Ni allwn ddweud a oedd yn anadlu ai peidio, ac roedd Wil yn galw arnaf oddi isod. Ysgydwais ef eto, yn galed y tro hwn, a sgrechian arno yn fy ofn a'm dryswch. "Dihuna, Sam. Er mwyn popeth, dihuna!" Roeddwn i'n gwybod bryd hynny na fyddai'n dihuno, ei fod wedi dod yma i farw. Gwyddai fod yn rhaid i chi farw i fynd i'r Nefoedd, ac yn y Nefoedd roedd e eisiau bod, er mwyn bod gyda Meg eto, a Tada hefyd.

Pan ddechreuodd symud eiliad yn ddiweddarach, ni allwn gredu'r peth. Agorodd ei lygaid. Gwenodd. "Hei Tomi," meddai. "Ishe bwyd, ishe bwyd." Dyna'r geiriau hyfrytaf roeddwn wedi'u clywed erioed. Neidiais ar fy nhraed a phwyso dros y wal. Roedd Wil yno ar lwybr yr eglwys yn edrych i fyny arnaf.

"Ry'n ni wedi dod o hyd iddo fe, Wil," galwais i lawr. "Ry'n ni wedi'i gael e. Mae e lan fan hyn. Mae e'n iawn."

Rhoddodd Wil ergyd i'r awyr â'i ddwrn a gweiddi hwrê dro ar ôl tro. Gwaeddodd hwrê yn uwch eto pan welodd Sam Mawr yn sefyll wrth fy ochr ac yn chwifio. "Wiw!" gwaeddodd Sam. "Wiw!"

Herciodd Wil yn gloff i'r eglwys, ac eiliadau'n unig yn ddiweddarach seiniodd y gloch fwyaf dros y pentref i gyd, gan darfu ar y colomennod oedd yn clwydo yn y tŵr, nes eu bod yn sgathru allan dros y tai, dros y caeau. Fel y colomennod, roedd y sain uchel yn sioc i Sam Mawr a minnau. Roedd yn bwrw ein clustiau, yn gyrru cryndod drwy'r tŵr a hwnnw i'w deimlo drwy wadnau ein traed. Cafodd Sam Mawr ofn wrth glywed y gloch yn diasbedain, ac edrychodd yn bryderus yn sydyn, ei ddwylo dros ei glustiau. Ond pan welodd fi'n chwerthin, gwnaeth yntau'r un fath. Ac yna dyma fe'n fy nghofleidio, yn fy nghofleidio mor dynn nes fy mod i'n meddwl ei fod e am hanner fy lladd i. A phan ddechreuodd ganu *Si-so, jac-y-do*, gwnes innau'r un fath, gan grio a chanu ar yr un pryd.

Ceisiais ei berswadio i ddod i lawr gyda fi, ond roedd Sam Mawr eisiau aros. Roedd eisiau codi llaw ar bawb o ben y tŵr. Roedd pobl yn tyrru o bob cyfeiriad: roedd Mr Morris, Miss Roberts a'r plant i gyd yn llifo drwy iard yr ysgol ac i fyny tua'r eglwys. Gwelsom y Cyrnol yn dod i lawr y ffordd yn ei gar, a gallem weld boned y Fleiddast a eisteddai wrth ei ymyl. Yn well na dim, gwelsom Mam a Mair ar feiciau'n gwibio i fyny'r bryn, gan godi llaw arnom. Roedd Wil yn dal i ganu'r gloch a gallwn ei glywed yn gweiddi hwrê rhwng pob caniad, a dychmygwn ei fod yn cydio'n dynn yn y rhaff ac yn codi i'r awyr arni. Roedd Sam Mawr yn dal i ganu ei gân. Ac roedd y gwenoliaid yn codi ac yn disgyn ac yn sgrechian o'n cwmpas, yn falch o fod yn fyw, ac yn dathlu, dwi'n credu, fod Sam Mawr yn fyw hefyd.

WYTH MUNUD AR HUGAIN WEDI UN

Dywedodd rhywun wrtha i rhyw dro yn yr ysgol Sul fod tŵr eglwys yn ymestyn fry i'r awyr oherwydd ei fod yn addewid o'r Nefoedd. Mae tyrau eglwysi'n wahanol yn Ffrainc. Dyna'r peth cyntaf i mi sylwi arno pan ddes i yma, pan newidiais fyd cartref am fyd rhyfel. Mae tyrau eglwysi gartref yn fyr, bron, yn ymguddio ym mhlygion y caeau. Yma nid oes plygion yn y caeau, dim ond gwastadeddau mawr agored, a phrin fod unrhyw fryn yn y golwg. Ac yn hytrach na thyrau eglwysi mae ganddyn nhw feindyrau sy'n ymwthio fry i'r awyr fel plentyn yn codi'i law yn y dosbarth, yn ysu am dynnu sylw'r athro. Ond nid yw Duw, os oes un, yn sylwi ar ddim yma. Mae wedi hen anghofio'r lle hwn a phob un ohonom sy'n byw ynddo. Does dim llawer o feindyrau ar ôl bellach. Dwi wedi gweld yr un yn Albert, yn hongian i lawr fel addewid wedi'i dorri.

O feddwl am y peth, addewid wedi'i dorri ddaeth â mi yma i Ffrainc, ac i'r ysgubor hon. Mae'r llygoden 'nôl eto. Mae hynny'n beth da.

* * *

Am gyfnod byr yn union ar ôl i ni ddod o hyd i Sam Mawr, roedd pawb fel petaen nhw wedi maddau ac anghofio am bob hen gweryl a malais. Roedd pawb hefyd wedi anghofio am yr holl siarad am y rhyfel yn Ffrainc. Yr unig beth roedd pobl yn siarad amdano'r diwrnod hwnnw oedd sut buon ni'n chwilio am Sam Mawr, a'r diweddglo hapus. Roedd y Cyrnol a'r Fleiddast, hyd yn oed, yn dathlu gyda'r gweddill ohonom yn y Llew Du. Roedd mam a thad Mair yno hefyd, yn dathlu gyda phawb arall, ac yn gwenu – ond gan mai capelwyr caeth oedden nhw, chyffyrddon nhw ddim â diferyn o'r ddiod gadarn. Ac yna cyhoeddodd y Cyrnol ei fod yn talu am y diodydd i gyd. Fuodd hi ddim yn hir – peint neu ddau yn unig oedd ei angen – cyn i Daniel Puw ddechrau canu. Roedd yn dal i ganu pan adawon ni; roedd rhai o'r caneuon yn mynd braidd yn goch erbyn hynny. Roeddwn i yno y tu allan i'r Llew Du pan aeth Mam at y Cyrnol i ddiolch iddo am ei help. Cynigiodd lifft adref i ni yn ei Rolls Royce! Teulu Griffiths yng nghefn car y Cyrnol, a'r Fleiddast yn y blaen, yn gyfeillgar wrth ei gilydd! Roedd yn anodd credu'r peth, ar ôl yr holl ddrwgdeimlad fu rhyngom ni dros y blynyddoedd.

Torrodd y Cyrnol yr hud ar y ffordd adref, gan siarad am y rhyfel a sut y dylai'r fyddin fod yn defnyddio rhagor o filwyr ar gefn ceffylau yn Ffrainc.

"Ceffylau a drylliau," meddai, "yn y drefn honno. Dyna sut lwyddon ni i drechu'r Boers yn Ne Affrica. Dyna beth ddylen nhw fod yn ei wneud. Petawn i'n iau, byddwn i'n mynd yno fy hun. Cyn hir bydd angen pob ceffyl y gallan nhw gael gafael arno, a phob dyn hefyd. Dyw pethau ddim yn mynd yn dda draw 'na."

Diolchodd Mam iddo eto wrth iddo ein helpu allan o'r car o flaen ein clwyd ni. Cyffyrddodd y Cyrnol â'i het a gwenu. "Paid â chrwydro eto, ŵr ifanc," meddai wrth Sam Mawr. "Fe godaist ti ofn mawr arnon ni i gyd." A chododd y Fleiddast ei llaw, bron yn siriol, wrth iddynt yrru i ffwrdd.

Y noson honno dechreuodd Sam Mawr besychu. Roedd wedi dal annwyd a hwnnw wedi mynd i'w frest. Buodd yn y gwely am wythnosau wedi hynny, a phrin y byddai Mam yn ei adael, roedd hi mor bryderus.

Erbyn iddo wella, roedd pawb wedi anghofio am holl bennod ei ddiflaniad. Yn lle hynny roedd pawb yn sôn am y newyddion yn y papurau am frwydr fawr ac ofnadwy ar afon Marne, lle roedd ein byddinoedd yn ymladd yn ffyrnig â'r Almaenwyr, i geisio eu hatal rhag symud ymlaen drwy Ffrainc.

Un noson, cyrhaeddodd Wil a minnau adref o'r gwaith ychydig yn hwyr, ar ôl aros am beint yn y Llew Du yn ôl ein harfer yn aml. Y dyddiau hynny, dwi'n cofio, roedd yn rhaid i mi esgus fy mod i'n hoffi cwrw. Y gwir amdani oedd fy mod i'n casáu'r stwff, ond roeddwn i'n dwlu ar y cwmni. Efallai bod Wil yn dipyn o deyrn arna i ar y fferm, ond ar ôl y gwaith, yn y Llew Du, doedd e byth yn fy nhrin fel bachgen pymtheg oed, er bod rhai o'r lleill yn gwneud. Allwn i byth â gadael iddynt wybod fy mod yn casáu cwrw. Felly byddwn yn gorfodi cwpwl o beints i lawr y lôn goch gyda Wil, ac yn aml yn gadael y Llew Du a'm pen yn troi braidd. Dyna pam roeddwn i'n hanner meddw pan gyrhaeddon ni adref y noson honno. Pan agorais y drws a gweld Mair yno'n eistedd ar y llawr a'i phen ar gôl Mam, teimlai'n union fel y diwrnod pan aeth Sam Mawr ar goll. Edrychodd Mair i fyny arnom, a gallwn weld ei bod hi wedi bod yn llefain, ac mai Mam oedd yn ei chysuro hi'r tro hwn.

"Beth sy'n bod?" gofynnodd Wil. "Beth sydd wedi digwydd?"

"Hawdd y gelli di ofyn, Wil Griffiths," meddai Mam. Doedd hi ddim yn swnio'n hapus o gwbl. Meddyliais i ddechrau tybed a oedd hi wedi gweld ein bod ni wedi bod yn yfed. Yna sylwais ar gês lledr o dan sil y ffenest, a chot Mair dros gefn cadair Tada wrth y tân.

"Mae Mair yn dod i aros," aeth Mam yn ei blaen. "Maen nhw wedi'i thaflu hi allan, Wil. Mae ei mam a'i thad wedi'i thaflu hi allan, a ti sydd ar fai."

"Nage!" llefodd Mair. "Peidiwch â dweud hynny. Nid fe sydd ar fai. Does neb ar fai." Rhedodd draw at Wil a'i thaflu ei hun i'w freichiau.

"Beth sydd wedi digwydd, Mair?" gofynnodd Wil. "Beth sy'n bod?"

Roedd Mair yn ysgwyd ei phen wrth iddi grio'n druenus ar ei ysgwydd. Edrychodd Wil ar Mam.

"Yr hyn sy'n bod, Wil, yw ei bod hi'n mynd i gael dy fabi di," meddai. "Maen nhw wedi pacio ei chês hi, wedi ei gwthio hi drwy'r drws a dweud wrthi am beidio byth â dod 'nôl.

Dydyn nhw byth eisiau ei gweld hi eto. Doedd dim unman arall ganddi i fynd, Wil. Fe ddywedais wrthi ei bod hi'n rhan o'r teulu, mai yma mae ei lle hi nawr, ac y gall hi aros cyhyd ag y mae hi eisiau."

Cymerodd yr hyn a deimlai fel oes cyn i Wil ddweud gair. Gwelais ei wyneb yn mynd drwy bob math o emosiynau: roedd e'n methu deall, wedi drysu, wedi gwylltio; aeth drwy'r holl emosiynau hyn gyda'i gilydd, ac o'r diwedd roedd yn benderfynol. Daliodd Mair hyd braich oddi wrtho nawr a sychu ei dagrau â'i fawd wrth iddo edrych i fyw ei llygaid. Pan siaradodd o'r diwedd, nid siarad â Mair wnaeth e, ond siarad â Mam. "Ddylech chi ddim bod wedi dweud hynny wrth Mair, Mam." Siaradodd yn araf, bron yn gas. Yna dechreuodd wenu. "*Fi* ddylai fod wedi dweud hynny. Ein babi ni yw e, fy mabi i, a Mair yw fy nghariad i. Felly fi ddylai fod wedi dweud. Ond dwi'n falch eich bod chi wedi'i ddweud e, serch hynny."

Ar ôl hynny daeth Mair yn un ohonom ni, yn fwy felly nag erioed. Roeddwn i ar ben fy nigon ac yn ddiflas ar yr un pryd. Mae'n rhaid bod Mair a Wil yn gwybod sut roeddwn i'n teimlo, dwi'n meddwl, ond sonion nhw ddim am y peth a wnes innau ddim chwaith.

Priodwyd hwy yn yr eglwys ychydig yn ddiweddarach. Roedd y lle'n wag iawn. Doedd neb yno oni bai am y ficer a'r pedwar ohonom ni, a gwraig y ficer yn eistedd yn y cefn. Roedd pawb yn gwybod erbyn hyn bod Mair yn disgwyl babi. Oherwydd hynny roedd y ficer wedi cytuno i'w priodi nhw ar rai amodau: dim seinio clychau, a dim canu emynau. Rhuthrodd drwy'r gwasanaeth priodasol fel petai eisiau bod yn rhywle arall. Doedd dim neithior priodas wedyn, dim ond paned o de a chacen ffrwythau ar ôl i ni gyrraedd adref.

Yn fuan wedyn, derbyniodd Mam lythyr oddi wrth y Fleiddast yn dweud mai priodas gywilyddus oedd hi. Dwedodd iddi ystyried diswyddo Mair. Ond roedd hi wedi penderfynu yn erbyn hynny oherwydd, er bod Mair yn amlwg yn ferch wan ac anfoesol, teimlai ar ei chalon na allai gosbi Mair oherwydd roedd hi'n siŵr bod llawer mwy o fai ar Wil nag arni hi. A beth bynnag, roedd Mair wedi cael digon o gosb am ei drygioni. Darllenodd Mam y cyfan yn uchel i ni i gyd. Yna gwasgodd y llythyr yn belen a'i daflu i'r tân – dyna'r lle gorau iddo, meddai hi.

Symudais i ystafell Sam Mawr a chysgu gydag ef yn ei wely. Doedd hynny ddim yn hawdd, achos roedd e'n fawr a'r gwely'n gul iawn. Roedd yn mwmian wrtho'i hun yn gyson, ac yn troi a throsi bron yn ddi-baid. Ond, wrth i mi orwedd ar ddihun gyda'r nos, nid dyna oedd yn fy mhoeni fwyaf. Yn yr ystafell drws nesaf roedd y ddau berson roeddwn i'n eu caru fwyaf yn y byd; roedden nhw, wrth iddyn nhw ddod o hyd i'w gilydd, wedi fy anghofio i. Weithiau, yng nghanol nos, roeddwn i'n meddwl amdanynt yn gorwedd ym mreichiau ei gilydd ac roeddwn eisiau eu casáu. Ond allwn i ddim. Y cyfan a wyddwn i oedd nad oedd lle i mi gartref mwyach. Byddai'n well i mi fod ymhell i ffwrdd, ac ymhell oddi wrthyn nhw'n arbennig.

Ceisiais ofalu nad oeddwn ar fy mhen fy hun gyda Mair

byth, achos doeddwn i ddim yn gwybod beth i'w ddweud wrthi bellach. Doeddwn i ddim yn aros i gael peint gyda Wil yn y Llew Du chwaith, am yr un rheswm. Ar y fferm, ceisiais fanteisio ar bob cyfle i weithio ar fy mhen fy hun, rhag bod yn agos ato. Byddwn yn fodlon gwneud unrhyw waith cario neu nôl pethau roedd angen ei wneud o'r fferm. Roedd Daniel Puw fel petai'n fwy na bodlon i mi wneud hynny. Roedd yn aml yn fy anfon gyda'r ceffyl a'r cart ar ryw neges neu'i gilydd: nôl bwyd anifeiliaid, efallai, mynd i brynu tatws had, neu fynd â mochyn i'r farchnad i'w werthu drosto. Beth bynnag oedd y dasg, byddwn yn cymryd fy amser a fyddai Daniel Puw byth fel petai'n sylwi. Ond roedd Wil yn sylwi. Roedd yn dweud fy mod i'n osgoi gwaith, ond gwyddai mai'r cyfan roeddwn i'n ei wneud oedd ei osgoi e. Roeddem ni'n adnabod ein gilydd mor dda. Fyddem ni byth yn dadlau, ddim wir; efallai oherwydd nad oedd yr un ohonom eisiau brifo'r llall. Gwyddem ein dau fod digon o frifo wedi digwydd yn barod. Byddai rhagor o frifo'n lledu'r bwlch rhyngom a doedd yr un ohonom yn awyddus i hynny ddigwydd.

Tra oeddwn i'n "osgoi gwaith" ym marchnad Tredolydd un bore y des i wyneb yn wyneb â'r rhyfel am y tro cyntaf. Tan hynny roedd wedi bod yn rhywbeth afreal a phell i ni i gyd, rhyfel mewn papurau newydd ac ar bosteri'n unig. Roeddwn i newydd werthu dau hen hwrdd Daniel Puw, a chael pris da amdanynt hefyd, pan glywais sŵn band yn dod i lawr y Stryd Fawr, y drymiau'n taro, a'r cyrn yn atseinio. Dechreuodd pawb yn y farchnad redeg, a finnau hefyd.

Wrth droi'r gornel, dyma fi'n eu gweld nhw. Y tu ôl i'r band rhaid bod sawl dwsin o filwyr, yn edrych yn wych yn eu gwisgoedd cochion. Martsion nhw heibio i mi, a'u breichiau'n symud i'r curiad, eu botymau a'u hesgidiau'n sgleinio, a'r haul yn taflu golau ar eu bidogau. Roedden nhw'n canu gyda'r band: *It's a long way to Tipperary, it's a long way to go*. A dwi'n cofio meddwl ei bod yn beth da nad oedd Sam Mawr yno, oherwydd byddai'n siŵr o fod wedi ymuno â nhw gyda'i *Si-so, jac-y-do*. Roedd plant yn cerdded yn drwm wrth eu hochr, rhai mewn hetiau papur, rhai â ffyn pren dros eu hysgwyddau. Roedd menywod yn taflu blodau, rhosynnau'n bennaf, a'r rheiny'n glanio wrth draed y milwyr. Ond glaniodd un ohonynt ar siaced milwr a glynu wrthi rywsut. Gwelais ef yn gwenu ar hynny.

Fel pawb arall, dilynais nhw o gwmpas y dref ac i fyny i'r sgwâr. Canodd y band *Duw Gadwo'r Brenin*. Yna, gyda baner Jac yr Undeb yn cyhwfan y tu ôl iddo, dringodd yr uwch-ringyll cyntaf i mi ei weld erioed i ben grisiau'r groes; gosododd ei ffon yn dwt o dan ei gesail, a siarad â ni. Roedd ei lais yn wahanol i bob llais roeddwn wedi'i glywed cyn hynny: yn arw ac yn hawlio sylw.

"Fe ddwedaf i wrthoch chi'n blwmp ac yn blaen, foneddigion a boneddigesau," dechreuodd. "Ddweda i ddim wrthoch chi fod popeth yn mynd yn dda draw yn Ffrainc – mae gormod o'r fath ffwlbri wedi bod yn barod yn fy marn i. Dwi wedi bod yno. Wedi gweld y cyfan drosof fy hun. Felly dwi'n dweud yn ddiflewyn-ar-dafod. Dyw hi ddim yn hawdd. Gwaith caled, dyna beth yw e, gwaith caled. Does ond un cwestiwn i chi ei ofyn i'ch hunan am y rhyfel hwn. Pwy fyddai'n well gennych chi eu gweld yn martsio drwy eich strydoedd chi? Ni neu'r Almaenwyr? Penderfynwch chi. Oherwydd, a chofiwch hyn, foneddigion a boneddigesau, os na allwn ni eu hatal nhw draw yn Ffrainc, fe fydd yr Almaenwyr fan hyn, yn union fan hyn yn Nhredolydd, yn union fan hyn ar garreg eich drws chi."

Gallwn deimlo'r tawelwch o'm cwmpas.

"Fe fyddan nhw'n martsio drwy'r lle yn llosgi eich tai, yn lladd eich plant, ac yn treisio eich gwragedd chi. Maen nhw wedi trechu gwlad Belg druan, wedi ei llowcio hi ar un gwynt. A nawr maen nhw wedi mynd â darn go lew o Ffrainc hefyd. Dwi yma i ddweud wrthoch chi, os na churwn ni nhw draw yn Ffrainc, y byddan nhw'n ein llowcio ni hefyd." Crwydrodd ei lygaid dros y gynulleidfa. "Wel? Ydych chi eisiau i'r Almaenwyr ddod yma? Ydych chi?"

"Nac ydyn!" daeth y waedd, ac roeddwn innau'n gweiddi gyda nhw hefyd.

"A wnawn ni eu curo nhw'n rhacs, felly?"

"Gwnawn!" rhuodd pawb gyda'i gilydd.

Nodiodd yr uwch-ringyll. "Da iawn. Da iawn wir. Felly bydd eich angen chi arnom ni." Nawr roedd yn codi ei ffon at y gynulleidfa, yn pwyntio at y dynion. "Chi, a chi a chi." Roedd yn edrych i fyw fy llygaid i nawr. "A ti hefyd, 'machgen i!"

Tan yr union eiliad honno doeddwn i wir erioed wedi meddwl ei fod yn dweud rhywbeth oedd yn berthnasol i mi. Un o'r gynulleidfa oeddwn i tan nawr. Ddim mwyach.

"Mae eich angen chi ar eich brenin. Mae eich angen chi ar eich gwlad. Ac mae eich angen chi ar yr holl fechgyn dewr draw yn Ffrainc hefyd." Dechreuodd wenu wrth fyseddu ei fwstás perffaith. "A chofiwch un peth, fechgyn – a gallaf dystio i hyn – mae pob merch yn caru milwr."

Chwarddodd pob menyw yn y gynulleidfa wrth glywed hynny. Yna rhoddodd yr uwch-ringyll y ffon o dan ei gesail unwaith eto.

"Felly pwy fydd y bachgen dewr cyntaf i ddod i gymryd swllt y brenin?"

Symudodd neb. Siaradodd neb. "Pwy fydd yn arwain y ffordd? Dewch nawr. Peidiwch â'm siomi, fechgyn. Dwi'n chwilio am fechgyn dewr eu bron, sy'n caru eu Brenin a'u gwlad, bechgyn gwrol sy'n casáu'r hen Almaenwyr."

Dyna pryd y camodd y cyntaf ymlaen, gan dynnu ei het wrth iddo wthio'i ffordd drwy fonllefau'r gynulleidfa. Roeddwn i'n ei adnabod o'r ysgol. Gwilym Powell oedd e. Doeddwn i ddim wedi'i weld ers tro, ddim ers i'w deulu symud o'r pentref. Roedd hyd yn oed yn fwy nag oeddwn i'n ei gofio, ei wyneb a'i wddf yn llawnach, ac yn gochach hefyd. Roedd yn dangos ei hun nawr fel yr arferai ei wneud ar fuarth yr ysgol bob amser. Gyda'r gynulleidfa'n eu hannog, aeth rhagor i'w ddilyn.

Yn sydyn dyma rywun yn rhoi pwt i mi ar waelod fy nghefn.

Hen wraig heb ddannedd oedd hi, yn pwyntio ataf â'i bys cam. "Cer di, fachgen," crawciodd. "Cer i ymladd. Dyletswydd pob dyn yw ymladd pan fydd ei wlad yn galw, dyna dwi'n ei ddweud. Cer nawr. Dwyt ti ddim yn llwfrgi, wyt ti?"

Roedd pawb fel petaent yn edrych arnaf wedyn, yn fy annog i fynd ymlaen, a'u llygaid yn fy nghyhuddo wrth i mi simsanu. Rhoddodd yr hen wraig ddiddannedd bwt arall i mi, ac yna roedd hi'n fy ngwthio ymlaen. "Dwyt ti ddim yn llwfrgi, wyt ti? Dwyt ti ddim yn llwfrgi?" Redais i ddim, ddim i ddechrau. Symudais draw oddi wrthi'n araf, yna dyma fi'n mynd wysg fy nghefn allan o'r dorf gan obeithio na fyddai neb yn sylwi arnaf. Ond sylwodd hi. "Y cachwr!" sgrechiodd ar fy ôl. "Y cachwr!" Yna dyma fi'n rhedeg. Rhedais fel cath i gythraul i lawr y Stryd Fawr wag, a'i geiriau'n dal i atseinio yn fy nghlustiau.

Wrth i mi yrru'r cart o'r farchnad, clywais y band yn dechrau chwarae eto yn y sgwâr, clywais dwmp dwmp y drwm bas mawr yn atseinio, yn fy ngalw i'n ôl at y faner. Yn llawn cywilydd, es yn fy mlaen. Yr holl ffordd adref i'r fferm meddyliais am yr hen wraig heb ddannedd, am yr hyn roedd hi wedi'i ddweud, ac am yr hyn roedd yr uwch-ringyll wedi'i ddweud. Meddyliais am y milwyr yn edrych mor wych a dewr yn eu hiwnifform llachar, fel y byddai Mair yn fy edmygu; gallai hyd yn oed fy ngharu, petawn i'n mynd yn filwr ac yn dod adref yn fy iwnifform goch. Byddai Mam mor falch, a Sam Mawr hefyd. Erbyn i mi ddatglymu'r ceffyl oddi wrth y cert 'nôl ar y fferm, roeddwn i'n eithaf penderfynol mai dyna a wnawn i. Byddwn i'n mynd yn filwr. Byddwn yn mynd i Ffrainc ac, fel dywedodd yr uwch-ringyll, byddwn yn curo'r hen Almaenwyr yn rhacs. Penderfynais ddweud wrth bawb amser swper. Edrychwn ymlaen at ddweud wrthynt, at weld yr olwg ar eu hwynebau.

Newydd eistedd roeddem ni i gael ein cawl pan ddechreuais siarad. "Roeddwn i yn Nhredolydd y bore 'ma," meddwn i. "Fe anfonodd Mr Pugh fi i'r farchnad."

"Osgoi gwaith fel arfer," meddai Wil o dan ei anadl.

Anwybyddais ef a mynd yn fy mlaen. "Roedd y fyddin yno, Mam. Yn recriwtio. Aeth Gwilym Powell i ymuno. A llawer o rai eraill hefyd."

"Y twpsod," meddai Wil. "Dwi ddim yn mynd, byth bythoedd. Fe saethwn i lygoden fawr achos fe allai hi fy nghnoi i. Fe saethwn i gwningen achos fe alla i ei bwyta hi. Pam byddwn i byth eisiau saethu Almaenwr? Dwi erioed wedi cwrdd ag Almaenwr."

Cododd Mam fy llwy a'i rhoi i mi. "Bwyta dy gawl," meddai, a rhoi ei llaw yn ysgafn ar fy mraich. "Paid â phoeni am y peth, Tomi, dydyn nhw ddim yn gallu gorfodi neb i fynd. Rwyt ti'n rhy ifanc beth bynnag."

"Dwi bron yn un ar bymtheg," meddwn i.

"Mae'n rhaid i ti fod yn ddwy ar bymtheg," meddai Wil. "Wnân nhw ddim gadael i ti ymuno fel arall. Nid bechgyn maen nhw eisiau."

Felly dyma fi'n bwyta fy nghawl heb sôn rhagor am y peth. Teimlwn yn siomedig i ddechrau nad oeddwn wedi cael fy eiliad fawr, ond wrth i mi orwedd yn y gwely'r noson honno teimlwn ryddhad mawr, yn dawel fach, na fyddwn i'n mynd i'r rhyfel. Erbyn i mi fod yn ddwy ar bymtheg byddai'r cyfan ar ben beth bynnag, siŵr o fod.

Ychydig wythnosau'n ddiweddarach daeth y Cyrnol i ymweld â Mam yn ddisymwth, pan oedd Wil a minnau allan yn gweithio. Chlywson ni ddim gair am y peth tan i ni gyrraedd adref gyda'r nos a Mair yn dweud y cyfan wrthym. Roeddwn i'n amau bod rhywbeth o'i le gan fod Mam yn anarferol o synfyfyriol a thawel amser swper. Roedd hi hyd yn oed yn gwrthod ateb cwestiynau Sam Mawr. Yna, pan gododd Mair oddi wrth y bwrdd a dweud ei bod ag awydd mynd am dro, ac awgrymu fy mod i a Wil yn mynd gyda hi, roeddwn i'n gwybod bod rhywbeth yn bod. Roedd amser maith ers i ni fynd allan gyda'n gilydd, dim ond y tri ohonom ni. Petai Wil wedi gofyn byddwn wedi gwrthod yn sicr. Ond roedd hi bob amser yn fwy anodd i mi ddweud 'na' wrth Mair.

Aethom i lawr at y nant, yn union fel roeddem ni'n arfer ei wneud yn yr hen ddyddiau pan oeddem ni eisiau bod ar ein pennau ein hunain gyda'n gilydd, lle roedd Mair a minnau wedi cwrdd mor aml pan oeddwn i'n llatai rhwng y ddau. Ddwedodd Mair ddim wrthym ni tan i ni eistedd un bob ochr iddi ar y lan, gan gydio yn nwylo'r ddau ohonom.

"Dwi'n torri addewid a wnes i i'ch mam," dechreuodd.

"Dwi ddim eisiau dweud hyn wrthoch chi o gwbl, ond mae'n rhaid i mi. Mae'n rhaid i chi wybod beth sy'n digwydd. Y Cyrnol sydd ar fai. Fe ddaeth i'r tŷ a dweud wrthi'r bore 'ma. Fe ddwedodd mai gwneud ei 'ddyletswydd gwladgarol' roedd e, dyna i gyd. Fe ddwedodd fod y rhyfel yn mynd yn wael i ni, fod y wlad yn galw am ddynion. Felly mae wedi penderfynu ei bod hi'n bryd i bob dyn abl sy'n byw neu'n gweithio ar ei ystâd, pob un y gall wneud hebddo, wirfoddoli i fod yn filwr, mynd i'r rhyfel a gwneud ei ran dros y Brenin a'r wlad. Fe fydd yn rhaid i'r ystâd wneud hebddyn nhw am ychydig, dyna i gyd." Teimlais Mair yn cydio'n dynnach yn fy llaw, a dechreuodd ei llais grynu. "Mae e'n dweud bod rhaid i ti fynd, Wil, neu fydd e ddim yn gadael i ni aros yn y bwthyn. Fe wnaeth dy fam ei gorau glas i ddadlau yn ei erbyn, ond roedd e'n gwrthod gwrando. Dim ond colli ei dymer wnaeth e. Fe fydd e'n ein taflu ni o'r bwthyn, Wil, ac yn diswyddo dy fam neu fi os nad ei di."

"Fyddai e ddim yn gwneud hynny, Mair. Dim ond bygwth mae e," meddai Wil. "All e ddim gwneud. All e ddim."

"Fe fyddai e'n gwneud," atebodd Mair, "ac fe all e wneud. Rwyt ti'n gwybod y gall e. A phan fydd y Cyrnol yn penderfynu gwneud rhywbeth, a'i fod e'n teimlo yn yr hwyl i wneud, dyna wnaiff e. Cofia beth wnaeth e i Meg. Mae e o ddifrif, Wil."

"Ond fe addawodd y Cyrnol," meddwn i. "A'i wraig hefyd cyn iddi farw. Fe ddywedodd ei bod hi eisiau iddo ofalu am

Mam. A dywedodd y Cyrnol y gallen ni aros yn y bwthyn. Fe ddwedodd Mam wrthon ni."

"Fe atgoffodd dy fam e am hynny," atebodd Mair. "Ac wyt ti'n gwybod beth ddwedodd e? Fe ddwedodd nad addewid oedd hi fel y cyfryw, dim ond dymuniad ei wraig, a bod y rhyfel wedi newid popeth beth bynnag. Doedd e ddim yn gwneud unrhyw eithriadau. Mae'n rhaid i Wil fynd yn filwr neu fe fyddwn ni allan o'r bwthyn ar ddiwedd y mis."

Eisteddon ni yno'n dal dwylo, a phen Mair yn gorffwys ar ysgwydd Wil, wrth iddi nosi. Roedd Mair yn crio'n dawel o bryd i'w gilydd, ond ddwedodd neb air. Doedd dim rhaid. Roeddem ni i gyd yn gwybod nad oedd modd dianc rhag hyn, fod y rhyfel yn ein gwahanu ni, ac y byddai ein bywydau ni i gyd yn newid am byth. Ond yr eiliad honno, roeddwn i'n trysori'r ffaith bod llaw Mair yn fy llaw i, yn trysori'r tro olaf yma gyda'n gilydd.

Yn sydyn, torrwyd y tawelwch gan lais Wil. "Fe ddwedaf i'r gwir, Mair," meddai. "Dwi wedi bod yn poeni cryn dipyn am hyn yn ddiweddar. Paid â 'nghamddeall i. Dwi ddim eisiau mynd. Ond dwi wedi gweld y rhestri yn y papur – wyddost ti, pawb sydd wedi'u lladd neu wedi'u hanafu. Druain bach ohonyn nhw. Llond tudalennau ohonyn nhw. Dyw hi ddim yn iawn fy mod i yma, yn mwynhau bywyd, a hwythau draw fan 'na. Dyw pethau ddim cynddrwg â hynny, Mair. Fe welais i Bryn Lewis ddoe. Roedd e'n gwisgo'i iwnifform yn y dafarn. Mae e gartref ar wyliau. Mae e wedi bod allan am flwyddyn neu ddwy yng ngwlad Belg. Mae e'n dweud ei fod e'n iawn. 'Bywyd braf,' meddai fe. Mae e'n dweud mai ni sy'n erlid yr Almaenwyr nawr. Un ymdrech fawr, dyna mae e'n gredu, ac fe fyddan nhw i gyd yn rhedeg adref i Berlin a'u cynffonnau rhwng eu baglau, ac wedyn fe all ein bechgyn ni i gyd ddod adref."

Oedodd, a chusanu Mair ar ei thalcen. "Beth bynnag, mae'n amlwg nad oes llawer o ddewis gyda fi, oes e, Mair?"

"O Wil," sibrydodd Mair. "Dwi ddim eisiau i ti fynd."

"Paid â phoeni, cariad," meddai Wil. "Gyda lwc fe fydda i 'nôl i ddathlu bod y babi wedi'i eni. Ac fe fydd Tomi yma i ofalu amdanat ti. Fe fydd y penteulu wedyn, yntê, Tomi? Ac os bydd y Cyrnol, yr hen rech, yn taro'i ben drwy ein drws ffrynt ni eto pan fydda i wedi mynd, saetha'r diawl, Tomi, fel saethodd e Meg." Ac fe wyddwn mai dim ond hanner cellwair oedd e, hefyd.

Dwi ddim yn credu fy mod i wedi ystyried yr hyn ddwedais i nesaf. "Wnaf i ddim aros yma," meddwn wrthynt. "Dwi'n dod gyda ti, Wil."

Gwnaeth y ddau eu gorau i'm perswadio fel arall. Dadlau, bwlio, ond roeddwn i'n gwrthod ildio, ddim y tro hwn. Roeddwn i'n rhy ifanc, meddai Wil. Dywedais fy mod i'n un ar bymtheg mewn rhai wythnosau a chyn daled â fe, a'r cyfan oedd angen i mi ei wneud oedd eillio a siarad yn ddyfnach a byddai unrhyw un yn credu fy mod i'n ddwy ar bymtheg. Fyddai Mam byth yn gadael i mi fynd, meddai Mair. Dywedais y byddwn i'n rhedeg i ffwrdd, ac na allai hi fy nghloi yn y tŷ.

"A phwy fydd yma i ofalu amdanom ni os ewch chi eich dau?" meddai Mair, yn ymbil arna i nawr.

"Pwy fyddai'n well gen ti i mi ofalu amdano, Mair," atebais. "Chi i gyd gartref sy'n gallu gofalu'n iawn amdanoch eich hunain? Neu Wil sydd wastad yn mynd i ryw helynt neu'i gilydd, hyd yn oed gartref?" Pan nad oedd ateb ganddyn nhw, fe wyddent fy mod i wedi ennill, ac roeddwn innau'n gwybod hynny hefyd. Roeddwn i'n mynd i ymladd yn y rhyfel gyda Wil. Allai neb na dim fy atal i nawr.

Dwi wedi cael dwy flynedd hir i feddwl pam y penderfynais, yn y fan a'r lle, fy mod i'n mynd gyda Wil. Yn y pen draw, mae'n debyg fod hynny oherwydd na allwn ddioddef meddwl am fod ymhell oddi wrtho. Roeddem ni bob amser wedi byw ein bywydau gyda'n gilydd, wedi rhannu popeth, hyd yn oed ein cariad am Mair. Efallai nad oeddwn i eisiau iddo gael yr antur yma hebddo i. Yn ogystal, roeddwn newydd gael fy nhanio wrth weld y milwyr coch yn martsio'n ddewr i fyny'r Stryd Fawr yn Nhredolydd, curiad cyson eu traed, y drymiau a'r cyrn yn diasbedain drwy'r dref, a galwad gynhyrfus yr uwch-ringyll i'r frwydr. Efallai ei fod wedi ysgogi teimladau nad oeddwn erioed wedi sylweddoli oedd yno o'r blaen, ac yn sicr rhai na fyddwn byth yn siarad amdanynt. Roedd hi'n wir fy mod i'n caru popeth oedd yn gyfarwydd i mi. Roeddwn i'n caru'r hyn roeddwn yn ei adnabod, fy nheulu, a Mair, a'r wlad y magwyd fi ynddi. Doeddwn i ddim eisiau i filwyr y gelyn sathru ar ein tir ni, ar fy ardal i. Byddwn yn gwneud popeth posib i'w hatal ac i amddiffyn y bobl roeddwn i'n eu caru. A byddwn yn gwneud hynny gyda Wil. Ond yn y bôn, gwyddwn mai'r hyn oedd yn fy annog, yn fwy na Wil, yn fwy na'm gwlad neu'r band neu'r uwch-ringyll, oedd yr hen wraig heb ddannedd a fuodd yn fy mhoeni yn y sgwâr. "Dwyt ti ddim yn llwfrgi, wyt ti? Dwyt ti ddim yn llwfrgi?"

Y gwirionedd oedd nad oeddwn i'n siŵr beth oedd yr ateb, ac roedd yn rhaid i mi ddarganfod hynny.

Roedd rhaid i mi brofi fy hun. Roedd rhaid i mi brofi fy hun i mi fy hun.

Ddau ddiwrnod yn ddiweddarach, dau ddiwrnod o osgoi holl ymdrechion Mam i'm hatal rhag mynd, i ffwrdd â ni i gyd gyda'n gilydd i Orsaf Arfryn lle byddai Wil a minnau'n dal y trên i Gaer-wynt. Doedd neb wedi sôn gair wrth Sam Mawr ein bod ni'n mynd i'r rhyfel. Roeddem ni'n mynd i ffwrdd am dipyn, a byddem ni adref cyn hir. Ddywedodd neb y gwir wrtho, ond ddwedodd neb gelwydd wrtho chwaith. Gwnaeth Mam a Mair eu gorau i beidio â llefain o'i achos e. A ninnau hefyd.

"Gofala am Wil i mi, Tomi," meddai Mair. "A gofala am dy hunan hefyd." Gallwn deimlo ymchwydd ei bol yn fy erbyn wrth i ni gofleidio.

Gofynnodd Mam i mi addo cadw'n lân, ymddwyn yn dda, ysgrifennu atynt a dod adref. Yna roedd Wil a minnau ar y trên

– y trên cyntaf erioed i ni fod arno. Roeddem ni'n pwyso allan o'r ffenest ac yn chwifio ein dwylo, ond bu'n rhaid i ni symud yn ôl gan besychu a thagu pan ddaeth cwmwl o fwg parddu drosom ni'n sydyn. Pan ddiflannodd y cwmwl a ninnau'n edrych allan eto, roedd yr orsaf eisoes wedi diflannu o'r golwg yn y pellter. Eisteddom ni gyferbyn â'n gilydd.

"Diolch, Tomi," meddai Wil.

"Am beth?" meddwn i.

"Rwyt ti'n gwybod am beth," atebodd, ac edrychodd y ddau ohonom drwy'r ffenest. Doedd dim rhagor i'w ddweud. Cododd crëyr glas o'r afon a hedfan gyda ni am ychydig cyn troi i gyfeiriad arall a glanio'n uchel yn y coed. Rhuthrodd gwartheg coch i bobman wrth i ni basio heibio, a chodi eu cynffonnau wrth redeg. Wedyn roeddem ni mewn twnnel, twnnel hir tywyll yn llawn sŵn a mwg a düwch. Dwi'n teimlo fel petawn i wedi bod yn y twnnel hwnnw bob dydd ers hynny. Felly yr aeth Wil a minnau'n swnllyd i'r rhyfel. Mae'r cyfan yn teimlo fel amser maith yn ôl nawr, oes gyfan yn ôl.

PEDAIR MUNUD AR DDEG WEDI DAU

Dwi'n edrych faint o'r gloch yw hi o hyd. Gwnes addewid i mi fy hun na fyddwn i'n gwneud, ond alla i ddim peidio. Bob tro dwi'n gwneud, dwi'n rhoi'r wats wrth fy nghlust i wneud yn siŵr ei bod hi'n tician. Mae hi yno o hyd, yn hollti'r eiliadau'n dawel bach, yna'r munudau, yna'r oriau. Dywedodd Wil wrtha i na fyddai'r wats yma byth yn stopio, byth yn fy siomi, oni bai i mi anghofio ei weindio hi. Y wats orau yn y byd, meddai fe, wats ryfeddol. Ond dyw hi ddim. Petai hi'n wats mor wych byddai hi'n gwneud mwy na dim ond cadw'r amser – gall unrhyw hen wats wneud hynny. Byddai wats wirioneddol ryfeddol yn *gwneud* yr amser. Yna, petai hi'n stopio, byddai'n rhaid i amser ei hun aros yn llonydd, yna fyddai dim rhaid i'r noson hon ddod i ben byth a fyddai'r bore byth yn dod. Roedd Wil yn aml yn dweud wrtha i ein bod ni'n byw ar amser wedi'i fenthyg draw fan hyn. Dwi ddim eisiau benthyg rhagor o amser. Dwi eisiau i amser stopio fel na fydd fory byth yn dod, fel na fydd y wawr byth yn torri.

Dwi'n gwrando ar fy wats eto, ar wats Wil. Mae hi'n dal i dician, tician. Paid â gwrando, Tomi. Paid ag edrych. Paid â meddwl. Cofia, dyna i gyd.

* * *

"Sefwch yn llonydd! Edrycha o dy flaen, Griffiths, y gwalch bach!" … "Stumog i mewn, brest allan, Griffiths." … "I lawr i'r mwd, Griffiths, lle mae dy le di, yr ysglyfaeth. I lawr!" … "Dduw mawr, Griffiths, ai dyna'r gorau y gallan nhw ei anfon aton ni'r dyddiau hyn? Llygod mawr, dyna ydych chi. Llygod mawr diawledig, a finnau'n gorfod gwneud milwyr ohonoch chi."

O'r holl enwau roedd y Sarsiant "Horrible" Hanley yn eu bloeddio dros y maes ymarfer yn Etaples pan gyrhaeddon ni Ffrainc am y tro cyntaf, Griffiths oedd yr un amlaf o ddigon. Roedd dau Griffiths yn y cwmni, wrth gwrs, ac roedd hynny'n gwneud gwahaniaeth, ond nid dyna'r prif reswm. O'r dechrau'n deg roedd Sarsiant Hanley'n casáu Wil. Ac roedd hynny achos nad oedd Wil yn fodlon dilyn y drefn fel y gweddill ohonom, a hynny achos nad oedd Wil yn ei ofni, fel y gweddill ohonom.

Cyn i ni gyrraedd Etaples roeddem ni i gyd, gan gynnwys Wil a minnau, wedi cael bywyd braf, a chyflwyniad digon tyner i fywyd milwr. Mewn gwirionedd roeddem ni wedi cael sawl wythnos o ddifyrrwch a chwerthin. Ar y trên i Gaer-wynt dywedodd Wil y gallai pobl gredu'n hawdd mai gefeilliaid oeddem ni. Byddai'n rhaid i mi fod yn ofalus, gostwng fy llais, ac ymddwyn fel bachgen dwy ar bymtheg o hyn ymlaen. Pan ddaeth yr amser, o flaen y rhingyll recriwtio yng nghanolfan y gatrawd, sefais yn dalsyth a siaradodd Wil ar fy rhan, fel na fyddai fy llais yn fy mradychu. "William Griffiths ydw i, a

Tomos Griffiths ydy e. Efeilliaid ydyn ni ac rydyn ni'n gwirfoddoli."

"Dyddiad geni?"

"Y pumed o Hydref," meddai Wil.

"Y ddau ohonoch chi?" gofynnodd y rhingyll recriwtio, gan edrych yn fanwl arna i, ro'n i'n meddwl.

"Wrth gwrs," atebodd Wil, gan ddweud celwydd yn ddidrafferth, "ond dwi awr yn henach na fe." A dyna ni. Dim trafferth. I mewn â ni.

Roedd yr esgidiau a gawson ni'n galed ac yn llawer rhy fawr – doedd dim meintiau llai gyda nhw. Felly roedd Wil a minnau a'r lleill yn rhedeg fel clowniau, clowniau mewn hetiau tun ac iwnifform lliw caci. Doedd yr iwnifform ddim yn ffitio chwaith, felly buon ni'n cyfnewid dillad nes cael rhai oedd yn ffitio. Roedd rhai wynebau o'n hardal leol roeddem ni'n eu hadnabod ymysg y cannoedd o ddieithriaid. Siôn Bach, boi bach â chlustiau amlwg, oedd yn tyfu erfin ar fferm ei dad ar yr Esgair, ac yn un da am chwarae ceilys yn y Llew Du. Wedyn roedd Ifan Bowen, töwr ac yfwr seidr, hefyd o'r Esgair. Roedd yn goch ei wyneb a'i ddwylo fel rhawiau. Roeddem wedi'i weld yn aml o gwmpas y pentref yn Llanifor, yn pwnio'r gwellt, i fyny fry ar ben to rhywun. Gyda ni hefyd roedd Huw James o'r ysgol, mab John James, daliwr llygod mawr a gwahaddod y pentref. Roedd wedi etifeddu doniau ei dad gyda llygod mawr a gwahaddod, ac roedd bob amser yn honni ei fod yn gwybod a fyddai'n mynd i fwrw glaw y diwrnod canlynol ai peidio. Roedd e'n iawn fel arfer hefyd. Roedd un o'i lygaid yn plycio'n nerfus yn gyson a phan oeddem ni yn yr un dosbarth allwn i ddim peidio ag edrych arno o hyd ac o hyd.

Yn y gwersyll hyfforddi ger Caer-wynt, a phawb yn byw ar ben ei gilydd, daethom i adnabod ein gilydd yn gyflym, er nad oeddem ni'n hoffi ein gilydd – digwyddodd hynny'n nes ymlaen. A daethon ni i wybod ein rhannau hefyd, sut i esgus mai milwyr oeddem ni. Dysgon ni sut i wisgo ein gwisgoedd caci – ches i byth wisgo'r iwnifform goch roeddwn i wedi gobeithio amdani – sut i smwddio crychau i'r dillad a sut i'w smwddio nhw allan, sut i drwsio ein hesgidiau, sut i gaboli ein botymau a'n bathodynnau a'n hesgidiau. Dysgon ni sut i fartsio i fyny ac i lawr i guriad y drwm, sut i droi heb fwrw i mewn i'n gilydd, sut i droi ein pennau'n sydyn i'r dde a saliwtio pan fyddem ni'n gweld swyddog. Beth bynnag roeddem ni'n ei wneud, roeddem yn ei wneud gyda'n gilydd – pawb ond Huw James bach na fyddai byth yn gallu symud ei freichiau fel y gweddill ohonom, waeth faint roedd y rhingylliaid a'r corporaliaid yn bloeddio arno. Roedd ei freichiau a'i freichiau'n camu ac yn symud i'w guriad ei hunan, a neb arall, a dyna i gyd. Doedd dim gwahaniaeth ganddo pa mor aml roedden nhw'n gweiddi arno bod ganddo ddwy droed chwith. Roedd yn rhoi rhywbeth i ni gyd chwerthin am ei ben. Roeddem ni'n chwerthin llawer yn y dyddiau cynnar hynny.

Rhoddwyd reifflau a phaciau a rhawiau palu ffosydd i ni.

Dysgon ni sut i redeg i fyny bryniau gyda phaciau trwm ar ein cefnau, a sut i saethu'n syth. Doedd dim rhaid dysgu Wil. Ar y maes saethu, fe oedd y saethwr gorau yn y cwmni o bell ffordd. Pan roddon nhw fathodyn coch anelwr iddo, roeddwn i mor falch ohono. Roedd yn ddigon bodlon â'i hunan, hefyd. Hyd yn oed gyda'r bidogau, rhyw chwarae bach roeddem ni. Byddai'n rhaid i ni ruthro ymlaen gan sgrechian pa regfeydd bynnag roeddem ni'n eu gwybod – a doeddwn i ddim yn gwybod llawer, ddim bryd hynny – ar y delwau llawn gwellt. Byddem yn gwthio ein bidogau i'r carn ynddynt, gan regi'r Almaenwr diawl wrth i ni ei drywanu, wrth droi'r llafn a'i dynnu allan fel roeddem ni wedi cael ein dysgu. "Cer am y stumog, Griffiths. Does dim byd i fynd yn sownd ynddo fan'na. Ergyd. Troi. Mas."

Roedd yn rhaid i bopeth yn y fyddin ddigwydd mewn llinellau neu resi. Roeddem ni'n cysgu mewn llinellau hir o bebyll, ac yn eistedd ar doiledau mewn rhesi. Doedd hyd yn oed y toiledau ddim yn breifat. Dysgais hynny'n ddigon cyflym. Mewn gwirionedd doedd unman yn breifat mwyach. Roeddem ni'n byw pob eiliad o bob dydd gyda'n gilydd, a hynny fel arfer mewn rhesi. Roeddem ni'n ffurfio rhes i eillio, i gael bwyd, i gael ein harchwilio. Hyd yn oed pan fyddem ni'n palu ffosydd, roedd yn rhaid iddyn nhw fod mewn rhesi, ffosydd syth ag iddynt ymylon syth. Roedd yn rhaid i ni balu'n gyflym hefyd, un cwmni'n cystadlu yn erbyn y llall. Roeddem ni'n arllwys chwys, roedd ein cefnau ni'n boenus, ein dwylo'n

yn ceisio ei wadu neu ei guddio neu'r ddau beth.

Dwi'n cofio un tro ein bod ni'n ymarfer yn y bryniau, yn gorwedd yno ar ein cefnau yn yr heulwen un diwrnod pan gododd Ifan ar ei eistedd yn sydyn. "Ydych chi'n clywed?" meddai. "Drylliau, o draw fan 'na yn Ffrainc, drylliau go-iawn." Codon ni ar ein heistedd a gwrando. Clywson ni'r sŵn. Roedd rhai'n dweud mai taranau yn y pellter oedd e. Ond fe glywson ni fe'n glir. Gwelson ni'r ofn sydyn yn llygaid ein gilydd ac roeddem ni'n gwybod yn iawn beth oedd e.

Ond yr un prynhawn roeddem ni 'nôl yn chwarae bach, yn chwarae gêmau rhyfel, yn cario paciau llawn, yn ymosod ar y "gelyn" yn y pellter. Pan chwythai'r chwibanau byddem ni'n dringo o'r ffosydd a cherdded ymlaen, ein bidogau'n barod. Yna pan fyddai'r gorchymyn yn cael ei weiddi, byddem yn ein taflu ein hunain wyneb i waered ac yn cropian ymlaen drwy'r borfa hir. Roedd cynhesrwydd yr haf yn dal yn y tir oddi tanom, ac roedd yna flodau menyn. Meddyliais am Mair wedyn ac am Wil a'r blodau menyn yn y dolydd gartref. Roedd gwenynen, yn cario llwyth o baill ac yn awchu am ragor, yn symud o un feillionen i'r llall wrth i mi gropian. Dwi'n cofio siarad â hi. "Ry'n ni'n debyg iawn, wenynen fach, ti a fi," meddwn. "Efallai dy fod ti'n cario dy bac oddi tanat ti a bod dy ddryll yn dod allan o'th ben-ôl. Ond rwyt ti a fi'n debyg iawn, wenynen fach." Rhaid bod y wenynen wedi gweld chwith, achos cododd a hedfan i ffwrdd. Gorweddais yn fy unfan, a'i gwylio'n mynd, tan i'r corporal darfu'n ddigon egr ar fy meddyliau.

"Beth wyt ti'n feddwl rwyt ti'n wneud, Griffiths, blydi mwynhau? Saf ar dy draed!"

Yn ystod yr ychydig wythnosau cyntaf hynny'n gwisgo iwnifform, prin bod gen i amser i weld eisiau neb, ddim hyd yn oed Mair, er fy mod i'n meddwl amdani'n aml, ac am Mam a Sam Mawr. Ond rhyw feddyliau bach sydyn oedden nhw. Yn anaml y byddai Wil a minnau'n siarad am gartref – doedden ni prin gyda'n gilydd ar ein pennau ein hunain beth bynnag. Roedden ni hyd yn oed wedi rhoi'r gorau i regi'r Cyrnol erbyn hyn. Doedd dim pwynt, ddim mwyach. Roedd e wedi gwneud peth cas iawn, ond roedd y cyfan wedi'i wneud. Milwyr oedden ni bellach, a doedd hynny ddim yn rhy wael, hyd yma. Mewn gwirionedd, er gwaetha'r holl ffurfio rhesi a'r gweiddi, roedden ni'n cael tipyn o hwyl, hwyl go iawn. Byddai Wil a minnau'n ysgrifennu llythyrau hwyliog adref – roedd y rhan fwyaf o rai Wil at Mair, a'm llythyrau i i gyd at Mam a Sam Mawr. Byddem yn eu darllen yn uchel i'n gilydd, y darnau roeddem ni eisiau eu rhannu, beth bynnag. Doedd dim hawl dweud ble roeddem ni neu unrhyw beth am yr hyfforddiant, ond roedd digon i sôn amdano, digon i ymffrostio yn ei gylch, digon i holi amdano. Dywedon ni'r gwir wrthynt, ein bod ni'n cael amser da – yn bwyta'n dda ac yn ymddwyn yn dda – ar y cyfan. Ond yr eiliad yr aethon ni ar y llong i Ffrainc, daeth y dyddiau da i ben. Dywedodd Huw James ei fod yn arogli storm yn yr awyr, ac roedd e'n iawn, yn ôl ei arfer.

Doedd dim un dyn ar fwrdd y llong nad oedd eisiau marw cyn cyrraedd Ffrainc hyd yn oed. Doedd y rhan fwyaf ohonom ni, gan gynnwys Wil a minnau, erioed wedi gweld y môr o'r blaen, heb sôn am donnau mawr llwyd y Sianel. Buom ni'n siglo o gwmpas y dec fel ysbrydion meddw'n ysu am gael ein rhyddhau o'n poen. Roedd Wil a minnau'n chwydu dros ymyl y llong pan ddaeth morwr atom, ein taro'n hwyliog ar ein cefnau a dweud wrthym os oeddem ni'n mynd i farw, y byddem ni'n teimlo'n llawer gwell yn gwneud hynny i lawr yn yr howld gyda'r ceffylau. Felly baglodd Wil a minnau ein ffordd i lawr ac i lawr nes ein bod ni'n ddwfn ym mherfeddion y llong ac ynghanol y ceffylau ofnus. Roedden nhw fel petaent yn hapus i gael cwmni wrth i ni gropian a gorwedd yn eu gwellt nhw, yn rhy agos at eu carnau i fod yn ddiogel, ond yn teimlo'n rhy sâl i falio botwm corn. Roedd y morwr yn iawn. I lawr fan hyn roedd y llong fel petai'n rholio llawer llai, ac er gwaethaf drewdod ofnadwy yr olew a'r dom ceffyl, dechreuon ni deimlo'n well bron yn syth.

Pan ddiffoddwyd y peiriannau o'r diwedd, aethom ni i fyny i'r dec ac edrych allan ar Ffrainc am y tro cyntaf. Roedd yr wylan Ffrengig – a oedd yn hofran uwch fy mhen ac yn fy ngwylio'n amheus – yn edrych yn debyg iawn i bob gwylan roeddwn wedi'i gweld yn dilyn yr aradr 'nôl gartref. Roedd pob llais a glywn ar y cei oddi tanom yn siarad Saesneg. Roedd pob iwnifform a phob helmed yn debyg i'n rhai ni. Yna, wrth i ni ddod i lawr y bompren i awyr iach y bore, dyma ni'n eu gweld nhw, y rhesi o filwyr clwyfedig yn ymlusgo ar hyd y cei tuag atom, rhai â'u llygaid wedi'u rhwymo, yn cydio wrth ysgwydd yr un o'u blaen. Roedd eraill yn gorwedd ar stretsieri. Dyma un ohonynt, gan bwffian ar sigarét rhwng gwefusau gwelw a sych, yn edrych arnaf trwy lygaid pŵl melyn. "Pob lwc, fechgyn," gwaeddodd wrth i ni fynd heibio. "Rhowch gweir iddyn nhw." Ddwedodd y lleill 'run gair ac roedd eu rhythu tawel yn siarad â ni bob un wrth i ni ffurfio rhesi a martsio allan o'r dref. Gwyddem i gyd bryd hynny fod yr hwyl a'r chwarae bach wedi dod i ben. O'r eiliad honno doedd dim un ohonom yn amau difrifoldeb yr holl beth. Byddem yn actio ein bywydau draw fan hyn – a'n marwolaethau hefyd, yn achos llawer ohonom.

Os oedd unrhyw un ohonom yn dal i feddwl fel arall, newidiodd meddwl pawb wrth weld y gwersyll hyfforddi yn Etaples am y tro cyntaf. Roedd y gwersyll yn ymestyn tua'r gorwel, fel dinas o bebyll, ac roedd milwyr yn drilio ym mhob man – yn martsio, yn rhedeg, yn cropian, yn troi, yn saliwtio, yn cyflwyno'u harfau. Doeddwn i erioed yn fy myw wedi gweld y fath fwrlwm o bobl, erioed wedi clywed cymaint o fwstwr dynoliaeth. Roedd yr awyr yn atseinio â sŵn gorchmynion yn cael eu cyfarth a rhegfeydd yn cael eu sgrechian. Dyna pryd y daethon ni ar draws y Rhingyll 'Horrible Hanley' am y tro cyntaf, ein chwip a'n poenydiwr dros yr wythnosau nesaf, a fyddai'n gwneud ei orau glas i droi ein bywydau ni i gyd yn boen.

O'r eiliad y gwelsom ef, roedd y rhan fwyaf ohonom yn arswydo rhagddo. Doedd e ddim yn ddyn mawr, ond roedd ganddo lygaid o ddur i'n tyllu ni, a llais chwyrn i godi ofn arnom. Ildio iddo wnaethom ni a gwneud popeth roedd arno eisiau i ni ei wneud. Dyna'r unig ffordd i oroesi. Pa mor aml bynnag y gorfodai ni i redeg i fyny bryniau â cherrig yn ein paciau, pa mor aml bynnag y gorfodai ni i daflu ein hunain i lawr yn y mwd rhewllyd a chropian drwyddo, fe wnaethom ni hynny, ac yn llawn angerdd hefyd. Gwyddem y byddai gwneud unrhyw beth llai na hynny – protestio, cwyno, ateb 'nôl, edrych i fyw ei lygaid hyd yn oed – yn gwneud i ni ddioddef mwy o gynddaredd hyd yn oed, mwy o boen hyd yn oed, mwy o gosb hyd yn oed. Gwyddem achos gwelsom beth ddigwyddodd i Wil. Roedd Wil hyd yn oed yn gwrthod gwenu ar ei jôcs bach. Dyna pam yr aeth e i helynt yn y lle cyntaf.

Bore dydd Sul oedd hi ac roeddem ni'n cael ein harchwilio cyn parêd yr eglwys pan welodd Hanley fod rhywbeth o'i le ar fathodyn cap Wil. Dywedodd ei fod yn gam. Drwyn wrth drwyn, bloeddiodd Hanley i wyneb Wil. Roeddwn i yn y rhes y tu ôl i Wil, ond hyd yn oed fan honno gallwn deimlo poer Hanley'n tasgu. "Wyt ti'n gwybod beth wyt ti? Rwyt ti'n ddolur llygad, Griffiths. Beth wyt ti?"

Meddyliodd Wil am eiliad ac yna atebodd mewn llais clir a chadarn, a heb arlliw o ofn. "Dwi'n falch 'mod i yma, Sarsiant."

Roedd Hanley'n edrych fel petai wedi ei synnu. Roeddem ni

i gyd yn gwybod pa ateb roedd Hanley'n chwilio amdano. Gofynnodd eto. "Rwyt ti'n ddolur llygad. Beth wyt ti?"

"Fel dwedais i, Sarsiant, dwi'n falch 'mod i yma." Roedd Wil yn gwrthod plesio Hanley drwy chwarae'r gêm, waeth pa mor aml y gofynnai Hanley, na pha mor uchel y gwaeddai. Oherwydd hynny bu'n rhaid i Wil wneud dyletswyddau gwylio ychwanegol. Nos ar ôl nos, prin y byddai Wil yn cael cwsg o gwbl. Roedd Hanley wrthi byth a hefyd wedi hynny; ni fyddai byth yn colli cyfle i bigo ar Wil a'i gosbi.

Roedd rhai yn y cwmni nad oedd yn hoffi'r hyn roedd Wil yn ei wneud o gwbl, ac Ifan yn un ohonynt. Dywedai fod Wil yn cynhyrfu Hanley heb angen, ac yn gwneud pethau'n anodd i'r gweddill ohonom. Rhaid dweud fy mod i'n hanner cytuno ag ef – er na ddwedais i hynny wrthynt, ac yn sicr ddwedais i 'run gair wrth Wil. Roedd hi'n ddigon gwir fod Hanley yn boendod i'n cwmni ni'n arbennig, a hynny oherwydd ei fod eisiau pigo ar Wil. Roedd Wil yn pigo'r gacynen, ac nid dim ond Wil roedd y gacynen yn ei bigo, roedd hi'n pigo pob un ohonom. Roedd pobl yn dechrau gweld Wil yn dipyn o faich ar y cwmni, yn dipyn o Jonah. Ddwedodd neb hynny wrtho – roeddent i gyd yn rhy hoff o Wil ac yn ei barchu – ond daeth Ifan, Huw a Siôn Bach ataf yn dawel bach, a gofyn i mi siarad ag ef. Gwnes fy ngorau glas i rybuddio Wil. "Mae e fel Mr Morris 'nôl yn yr ysgol, Wil. Meistr corn arnon ni i gyd, wyt ti'n cofio? Hanley yw ein meistr a'n rheolwr ni fan hyn. Alli di mo'i ymladd e."

"Ond dyw hynny ddim yn golygu bod yn rhaid i mi orwedd i lawr a gadael iddo fy sathru i," meddai. "Fe fydda i'n iawn, fe gei di weld. Gofala di amdanat ti dy hunan. Gwylia dy gefn. Mae'n cadw llygad arnat ti, Tomi, dwi wedi'i weld e." Dyna Wil i ti. Roeddwn i'n ceisio'i rybuddio fe, a'r cyfan wnaeth e yn y pen draw oedd rhoi rhybudd i mi.

Rhywbeth bach oedd yn gyfrifol am danio'r cyfan, sef baril dryll brwnt. O edrych 'nôl nawr dwi'n berffaith sicr fod Hanley wedi'i wneud e'n fwriadol, i bryfocio Wil. Roedd pawb yn gwybod erbyn hyn mai fi oedd brawd bach Wil, a flwyddyn yn rhy ifanc i listio. Roeddem ni wedi hen roi'r gorau i esgus mai gefeilliaid oeddem ni. Ar ôl i ni gwrdd ag Ifan a Huw a Siôn Bach o adref, roedd yn rhaid i ni ddweud y gwir, ac erbyn hynny doedd dim llawer o wahaniaeth. Roedd dwsinau o rai eraill o dan oedran yn y gatrawd a phawb yn gwybod hynny. Wedi'r cyfan, roedd angen pob dyn arnynt. Roedd y bechgyn eraill yn tynnu fy nghoes, am fod fy ngên fel pen-ôl baban ac am nad oedd yn rhaid i mi eillio, (doedd hynny ddim yn wir) ac am fy llais gwichlyd hefyd. Ond roedden nhw i gyd yn gwybod bod Wil yn gofalu amdanaf i. Os byddai'r tynnu coes yn mynd dros ben llestri, byddai Wil yn bwrw golwg draw a deuai'r cyfan i ben. Doedd e byth yn fy nhrin fel babi, ond roedd pawb yn gwybod y byddai'n fy nghefnogi i'r carn.

Roedd Hanley'n gas, ond doedd e ddim yn dwp. Rhaid ei fod yntau hefyd wedi synhwyro'r peth, achos dyna pam y dechreuodd bigo arnaf i. Roeddwn i wedi hen arfer â dioddef y math yma o beth 'nôl yn yr ysgol gyda Mr Morris, ond roedd 'Horrible Hanley' yn boenydiwr arbennig iawn. Daeth o hyd i un esgus ar ôl y llall i bigo arnaf a'm cosbi. Roeddwn i wedi ymlâdd ar ôl yr holl ddrilio a dyletswyddau gwylio ychwanegol, wedi blino'n lân. Wrth flino, roeddwn i'n gwneud rhagor o gamgymeriadau – ac wrth wneud rhagor o gymeriadau, roedd Hanley'n fy nghosbi eto fyth.

Roeddem ni wedi bod yn drilio un bore, ac yn sefyll yn syth mewn tair rhes, pan gydiodd yn fy nryll. Gan edrych i lawr y faril, cyhoeddodd Hanley ei fod yn "frwnt". Gwyddwn beth oedd y gosb, gwyddai pawb ohonom: rhedeg bum gwaith o gwmpas y maes ymarfer yn dal eich dryll uwch eich pen. Ar ôl dim ond dau dro, allwn i ddim dal fy nryll yn uchel o gwbl. Roedd fy mhenelinoedd yn plygu, a bloeddiodd Hanley arnaf: "Bob tro rwyt ti'n gadael i'r dryll 'na gwympo, Griffiths, rwyt ti'n dechrau'r gosb unwaith eto. Pum gwaith eto, Griffiths."

Roedd fy mhen yn troi. Llusgo mynd roeddwn i nawr, nid rhedeg, a phrin y gallwn sefyll yn syth. Roedd fy nghefn ar dân gan boen. Doedd gen i ddim nerth i godi'r dryll uwch fy mhen o gwbl. Dwi'n cofio clywed gwaedd, gan wybod mai Wil oedd e, a meddwl tybed pam roedd e'n gweiddi. Yna dyma fi'n llewygu. Pan ddihunais yn fy mhabell dwedon nhw wrtha i beth oedd wedi digwydd. Roedd Wil wedi torri allan o'r rhes ac wedi rhedeg at Hanley, gan sgrechian arno. Doedd e ddim rhoi ergyd iddo go iawn, ond roedd wedi sefyll yno drwyn wrth drwyn â Hanley a dweud wrtho'n union beth oedd ei farn amdano. Dwedon nhw ei fod yn wych, bod pawb wedi gweiddi hwrê ar ôl iddo orffen. Ond roedd Wil wedi cael ei arestio a'i fartsio draw i'r gell warchod.

Y diwrnod canlynol, mewn glaw trwm, cafodd y bataliwn cyfan ei fartsio draw i weld Wil yn cael ei gosbi. Daethon nhw â Wil allan a'i glymu wrth olwyn y dryll mawr. 'Field Punishment Number One' oedd yr enw arno. Roedd y Brigadydd yn eistedd i fyny fry ar ei geffyl a dwedodd y dylai hyn fod yn rhybudd i bawb ohonom, fod Preifat Griffiths wedi cael cosb ysgafn, fod diffyg ufudd-dod amser rhyfel yn gallu cael ei ystyried yn fiwtini a bod miwtini'n cael ei gosbi drwy wynebu'r fintai saethu. Drwy'r dydd cafodd Wil ei chwipio yno yn y glaw, ei goesau a'i freichiau ar led. Wrth i ni fartsio heibio iddo, gwenodd Wil arna i. Ceisiais wenu 'nôl, ond ddaeth dim gwên, dim ond dagrau. Roedd e'n edrych fel Iesu'n hongian ar y groes yn eglwys Llanifor. A meddyliais wedyn am yr emyn roeddem ni'n arfer ei ganu yn yr ysgol Sul, *O'r fath gyfaill ydyw'r Iesu*. Canais yr emyn i gael gwared ar fy nagrau wrth i mi fartsio. Roeddwn i'n cofio Mair yn ei ganu i lawr yn y berllan pan gladdon ni lygoden Sam Mawr, ac wrth i mi gofio dyma fi'n newid y geiriau heb yn wybod i mi fy hunan, gan roi enw Wil yn lle Iesu. Canais yr emyn o dan fy anadl wrth i ni gael ein martsio i ffwrdd. "O'r fath gyfaill ydyw Wil ni."

MUNUD WEDI TRI

Dwi wedi cwympo i gysgu. Dwi wedi colli munudau gwerthfawr – dwn i ddim sawl un, ond maen nhw'n funudau na chaf i byth mohonynt yn ôl. Dylwn fod yn gallu ymladd cwsg erbyn hyn. Dwi wedi gwneud hynny'n ddigon aml wrth fod ar ddyletswydd gwylio yn y ffosydd, ond bryd hynny roedd oerfel neu ofn yn gyfeillion i'm cadw ar ddihun. Dwi'n ysu am yr eiliad honno pan gaf ildio i gwsg, a llithro'n araf i'r dim byd cynnes. Ymladd yn ei erbyn, Tomi, ymladd yn ei erbyn. Ar ôl i'r noson hon ddod i ben, wedyn fe gei di lithro i ffwrdd, wedyn fe gei di gysgu am byth, achos fydd dim byd yn bwysig byth eto. Cana *Si-so, jac-y-do*. Dyna ti. Cana'r gân. Cana hi fel Sam Mawr, dro ar ôl tro ar ôl tro. Bydd hynny'n dy gadw ar ddihun.

Si-so, jac-y-do,
Dal y deryn dan y to,
Gwerthu'r fuwch a lladd y llo,
Mynd i Lundain i roi tro,
Dyna ddiwedd jac-y-do.

* * *

Maen nhw'n dweud wrthym ein bod ni'n mynd i'r ffrynt, ac mae hynny'n rhyddhad i bawb. Rydyn ni'n gadael Etaples a

Sarsiant Hanley ar ôl am byth, gobeithio. Rydyn ni'n gadael Ffrainc ac yn martsio dan ganu i mewn i wlad Belg. Mae Capten Wilkes yn hoffi ein clywed ni'n canu. Mae'n codi'r hwyliau, medd ef, ac mae e'n iawn hefyd. Po fwyaf rydyn ni'n canu, y mwyaf hwyliog rydyn ni, a hynny er gwaethaf popeth sydd i'w weld – y pentrefi rydyn ni'n martsio drwyddynt, pob un wedi'i rwygo gan y sielio, yr ysbytai maes rydyn ni'n mynd heibio iddynt, yr eirch gwag sy'n disgwyl. Roedd y capten yn arfer bod yn arweinydd côr ac yn athro 'nôl gartref yn Lloegr yn rhywle, felly mae'n gwybod beth mae'n ei wneud. Rydyn ni'n gobeithio y bydd yn gwybod beth mae'n ei wneud pan gyrhaeddwn ni'r ffosydd. Mae'n anodd credu ei fod e a Sarsiant Horrible Hanley yn yr un fyddin, ar yr un ochr. Dydyn ni erioed wedi gweld neb sy'n ein trin ni mor garedig ac ystyriol. Fel mae Wil yn ei ddweud, "mae e'n ein trin ni'n dda". Felly rydyn ni'n ei drin yntau'n dda hefyd, heblaw am Siôn Bach sy'n ei bryfocio o hyd. Gall Siôn Bach fod braidd yn lletchwith weithiau. Fe yw'r unig un sy'n dal i sôn am fy llais gwichlyd.

"Ydyn ni'n ddigalon? Nac ydyn! Felly codwch eich lleisiau a chanu nerth eich pennau: ydyn ni'n ddigalon? Nac ydyn." Rydyn ni'n canu ac yn martsio a'n camau'n fwy sionc. A phan fydd y gân yn dod i ben a dim byd ar ôl ond sŵn traed yn martsio, mae Wil yn dechrau canu *Si-so, jac-y-do*, sy'n gwneud i bawb sy'n deall Cymraeg chwerthin. Dw innau'n ymuno ag ef ac yn raddol mae'r Cymry eraill yn dechrau canu.

Does neb yn gwybod pam rydyn ni'n canu'r gân, wrth gwrs. Cyfrinach rhyngof i a Wil yw hi, a dwi'n gwybod wrth i ni ganu ei fod yn meddwl am Sam Mawr ac am gartref, fel finnau.

Mae'r capten wedi dweud wrthym ein bod ni'n mynd i sector sydd wedi bod yn dawel ers tro nawr, ac na ddylai pethau fod yn rhy ddrwg. Rydyn ni'n falch am hynny, wrth gwrs, ond does dim gwahaniaeth gyda ni mewn gwirionedd. Allai dim byd fod yn waeth na'r hyn rydyn ni newydd ei adael. Rydyn ni'n mynd heibio i ynnau mawr, a'r milwyr yn eistedd o gwmpas bwrdd yn chwarae cardiau. Mae'r gynnau'n dawel nawr, a'u barilau'n pwyntio'n gegrwth at y gelyn. Dwi'n edrych draw ond alla i ddim gweld y gelyn. Yr unig rai o'r gelyn dwi wedi'u gweld hyd yma yw criw o garcharorion carpiog yn cysgodi rhag y glaw o dan goeden wrth i ni fartsio heibio, a'u hiwnifformau llwyd yn gacen o fwd. Roedd rhai ohonynt yn gwenu. Cododd un ohonynt ei law, hyd yn oed, a gweiddi yn Saesneg: "Hello, Tommy."

"Mae'n siarad â ti," meddai Wil, dan chwerthin. Felly codais innau fy llaw'n ôl arno. Roedden nhw'n edrych yn debyg iawn i ni, ond yn fwy brwnt.

Mae dwy awyren yn cylchdroi fel bwncathod yn y pellter. Wrth iddynt ddod yn nes dwi'n gweld nad cylchdroi maen nhw o gwbl, ond ymlid ei gilydd. Maen nhw'n dal yn llawer rhy bell i ffwrdd i ni weld pa un sy'n perthyn i ni. Rydyn ni'n penderfynu mai'r un fach yw hi ac yn gweiddi'n groch drosti, a dwi'n meddwl yn sydyn tybed ai'r peilot o'r awyren felen a laniodd yn y dolydd y diwrnod hwnnw sydd i fyny fry yn ein hawyren ni. Wrth eu gwylio nhw, dwi bron yn gallu blasu'r losin roddodd e i ni. Dwi'n eu colli nhw yn yr haul, ac yna mae'r un leiaf yn chwyrlïo tua'r ddaear ac mae ein gweiddi croch yn tawelu'n syth.

Yn y gwersyll maen nhw'n rhoi ein llythyrau cyntaf i ni. Mae Wil a minnau'n gorwedd yn ein pabell ac yn eu darllen nhw dro ar ôl tro, tan ein bod ni'n eu gwybod nhw ar ein cof, bron. Rydym ni'n dau wedi cael llythyrau oddi wrth Mam a Mair, ac mae Sam Mawr wedi rhoi ei farc ar waelod pob un, ôl anniben ei fys bawd mewn inc a "Sam" wedi'i ysgrifennu'n fras wrth ei ochr mewn pensil wedi'i wasgu'n galed. Mae hynny'n gwneud i ni wenu. Gallaf ei weld yn ei ysgrifennu, ei drwyn wrth y papur, a'i dafod rhwng ei ddannedd. Mae Mam yn dweud eu bod nhw'n troi'r rhan fwyaf o'r Plas yn ysbyty i swyddogion, a bod y Fleiddast yn fwy o deyrn ar bawb nag erioed. Mae Mair yn dweud bod y Fleiddast bellach yn gwisgo het wellt cantel llydan a phluen estrys gwyn mawr ynddi yn lle ei hen foned ddu, a'i bod yn gwenu drwy'r amser "fel gwraig fawr gachu". Mae Mair yn ysgrifennu, hefyd, ei bod yn gweld fy eisiau, a'i bod hi'n iawn, ond ei bod hi'n teimlo braidd yn sâl weithiau. Mae hi'n gobeithio y daw'r rhyfel i ben yn gyflym ac yna gallwn ni i gyd fod gyda'n gilydd eto. Alla i ddim darllen y gweddill, na'i henw hi chwaith, achos mae ôl bawd Sam dros bopeth.

Maen nhw'n ein gadael ni allan o'r gwersyll am noson ac rydyn ni i gyd yn mynd i'r pentref nesaf, Poperinghe, "Pop" fel mae pawb yn ei alw. Mae Capten Wilkes yn dweud wrthon ni bod *estaminet* yno – math o dafarn, medd ef, lle mae'r cwrw gorau y tu allan i Brydain i'w yfed a'r wy a sglodion gorau yn y byd. Mae e'n iawn. Mae Ifan a Siôn Bach, Huw, Wil a minnau'n bwyta ac yfed llond ein boliau o wyau, sglodion a chwrw. Rydyn ni fel camelod yn yfed mewn gwerddon rydyn ni wedi digwydd dod ar ei thraws ac na fyddwn ni efallai byth yn dod o hyd iddi eto.

Mae merch yn y bwyty'n gwenu arnaf wrth glirio'r platiau. Hi yw merch y perchennog – mae e wastad yn gwisgo'n smart ac yn llond ei groen ac yn siriol, fel Siôn Corn heb y farf. Mae'n anodd credu mai ei ferch e yw hi, achos mae hi'n wahanol iddo ym mhob ffordd, fel tylwythen deg fach eiddil. Mae Siôn Bach yn sylwi arni'n gwenu arnaf ac mae e'n dweud rhywbeth coch. Mae hi'n gwybod hynny ac yn symud i ffwrdd. Ond dwi ddim yn anghofio'i gwên, na'r wyau a'r sglodion a'r cwrw. Mae Wil a minnau'n codi ein gwydrau dro ar ôl tro i'r Cyrnol a'r Fleiddast, gan ddymuno iddynt bob anlwc a diflastod a'r holl blant bach erchyll y maen nhw'n eu llawn haeddu, yna rydyn ni'n ymlusgo 'nôl i'r gwersyll. Dwi'n wirioneddol feddw am y tro cyntaf yn fy mywyd, ac yn teimlo'n falch iawn ohonof fy hunan, tan i mi orwedd ac mae fy mhen yn troi ac yn bygwth fy nhynnu i lawr i ryw dwll mawr du dwi'n ofni mynd iddo. Dwi'n gwneud ymdrech i feddwl yn iawn, i ddychmygu'r ferch yn yr *estaminet* yn Pop. Ond po fwyaf dwi'n meddwl amdani, mwyaf dwi'n gweld Mair.

Mae'r gynnau mawr yn gwneud i mi gallio. Rydyn ni'n cropian allan o'n pabell i'r nos. Mae'r awyr wedi goleuo ar hyd y gorwel. Mae pwy bynnag sydd o dan y lach, yn ffrind neu'n elyn, yn ei chael hi'n ofnadwy. "Ypres yw hwnna," medd y capten wrth fy ochr yn y tywyllwch.

"Druan ohonyn nhw," medd rhywun arall. "Dwi'n falch nad ydyn ni yn Wipers heno."

Rydyn ni'n mynd yn ôl i'n pabell, yn cwtsio o dan y blancedi ac yn diolch i Dduw nad ni sydd yno, ond mae pob un ohonom yn gwybod y bydd ein hamser ninnau'n dod, a hynny'n fuan.

Y noson ganlynol rydyn ni'n mynd i fyny i'r lein. Does dim gynnau mawr heno, ond mae sŵn y drylliau a'r gynnau peiriant yn clecian ac yn rhuglo o'n blaenau ni, ac mae fflerau'n tanio, gan oleuo'r tywyllwch bob hyn a hyn. Gwyddom ein bod ni'n agos nawr. Mae hi fel petai'r heol yn mynd â ni i lawr i'r ddaear ei hun. Yn y pen draw nid heol yw hi, ond twnnel heb do, ffos gyfathrebu. Rhaid i ni fod yn dawel nawr. Dim siw na miw. Petai'r Almaenwyr wrth y gynnau peiriant neu'r morterau'n gweld ein bod ni yno, ac mae mannau lle gallan nhw weld, dyna ein diwedd ni. Felly rydyn ni'n brathu ein tafodau wrth lithro a sglefrio yn y mwd, gan gydio'r naill yn y llall rhag i ni gwympo. Mae rhes o filwyr yn pasio heibio, yn dod tuag atom, dynion llygatddu, diflas a blinedig. Does dim angen cwestiynau. Does dim angen atebion. Mae'r olwg wyllt a hunllefus yn eu llygaid yn dweud y cyfan.

Rydyn ni'n dod o hyd i'n twll ymochel ni o'r diwedd, a phob un ohonom yn dyheu am wneud dim ond cysgu nawr. Mae hi wedi bod yn daith hir ac oer. Mẁg o de melys poeth a gorwedd, dyna'r cyfan dwi eisiau. Ond gyda Wil, dwi'n gorfod mynd ar ddyletswydd gwylio. Am y tro cyntaf dwi'n edrych allan drwy'r weiren dros dir neb a draw tuag at ffosydd y gelyn, lai na dau gan llath o'n llinell ni, medden nhw, ond allwn ni mo'u gweld nhw, dim ond y weiren. Mae'r nos yn dawel nawr. Mae gwn peiriant yn clecian a dwi'n mynd i lawr yn syth. Doedd dim rhaid i mi ffwdanu. Un o'n rhai ni yw e. Mae ofn yn fy llethu, dwi'n teimlo dim, ac am eiliad mae'r ofn yn disodli'r teimlad anghysurus o gael traed gwlyb a dwylo oer. Dwi'n teimlo Wil yno wrth fy ochr. "Noson dda i botsio, Tomi," sibryda. Gallaf weld ei wên yn y tywyllwch ac mae fy ofn yn cilio'n syth.

Mae'n union fel y mae'r capten wedi dweud y byddai hi, yn dawel. Bob dydd dwi'n disgwyl i'r Almaenwyr ein sielio ni, ond dydyn nhw ddim yn gwneud. Mae'n debyg eu bod nhw'n rhy brysur yn sielio Wipers ymhellach i fyny'r llinell i boeni amdanom ni, ac alla i ddim dweud ei bod hi'n ddrwg gen i. Dwi hyd yn oed yn dechrau gobeithio y gallen nhw fod wedi defnyddio eu sieliau i gyd. Bob tro dwi'n edrych drwy'r perisgop dwi'n disgwyl gweld criwiau llwyd yn dod tuag atom ar draws tir neb, ond does neb yn dod. Dwi'n siomedig, bron. Rydyn ni'n clywed sŵn ambell ddryll, felly dydyn ni ddim yn cael ysmygu yn y ffosydd gyda'r nos, "oni bai eich bod eisiau i rywun saethu eich pen chi bant," medd y capten. Mae ein magnelau ni'n taflu siel neu ddwy i'w ffosydd nhw bob hyn a hyn, ac maen nhw'n gwneud yr un fath. Mae pob un, eu sieliau nhw neu ein sieliau ni – ac mae ein rhai ni weithiau'n cwympo'n fyr – yn fy synnu a'm dychryn i ddechrau, yn ein dychryn ni i gyd, ond gydag amser rydyn ni'n ymgyfarwyddo ac yn cymryd llai o sylw ohonynt.

Mae ein ffosydd a'n tyllau ymguddio wedi'u gadael yn llanast gan y rhai oedd yno o'n blaenau, cwmni o Albanwyr, felly pan na fyddwn ni'n ymgynnull gyda'r wawr, yn gwneud te neu'n cysgu, rydyn ni'n gorfod clirio eu llanast nhw. Mae Capten Wilkes – neu "Wilkie" fel rydyn ni'n ei alw nawr – yn ffyslyd iawn am daclusrwydd a glendid, "oherwydd y llygod mawr," mae'n dweud. Rydyn ni'n dod i wybod yn ddigon buan ei fod yn iawn unwaith eto. Fi yw'r cyntaf i ddod o hyd iddynt. Dwi'n cael gorchymyn i gynnal un o waliau'r ffosydd sy'n dechrau gwegian. Dwi'n gwthio fy rhaw i mewn ac yn agor nyth cyfan ohonynt. Maen nhw'n arllwys allan, yn sgrialu dros fy esgidiau. Dwi'n camu'n ôl mewn arswyd am eiliad ac yna'n dechrau eu sathru i farwolaeth yn y mwd. Dwi ddim yn lladd yr un llygoden, ac rydyn ni'n eu gweld nhw ym mhobman wedi hynny. Drwy lwc mae Huw gyda ni, ein daliwr llygod mawr proffesiynol ein hunain. Mae'n cael ei alw bob tro y bydd rhywun yn gweld llygod, a pha bryd bynnag fydd hynny, ddydd neu nos, does dim gwahaniaeth ganddo. Mae'n cellwair ei fod yn teimlo'n gartrefol wrth wneud hyn. Mae'n gwybod am arferion llygod mawr, ac yn lladd yn awchus bob tro, gan daflu eu cyrff i dir neb yn fuddugoliaethus. Ar ôl ychydig mae'r llygod mawr fel petaen nhw'n gwybod bod Huw'n drech na nhw ac maen nhw'n gadael llonydd i ni.

Ond mae'n rhaid i ni ymdopi â'r felltith ddyddiol arall, llau, heb help neb. Rhaid i bob un ohonom losgi ei lau ei hun â sigarét wedi'i thanio. Maen nhw'n ymgartrefu ble bynnag gallan nhw, ym mhlygion ein croen a'n dillad. Rydyn ni'n dyheu am gael bath i'w boddi nhw i gyd, ond yn fwy na dim rydyn ni'n dyheu am fod yn sych ac yn gynnes unwaith eto.

Nid y llygod mawr na'r llau yw'r pla gwaethaf, ond y glaw diddiwedd sy'n ein gwlychu at y croen. Mae'n rhedeg fel nant ar hyd gwaelod y ffos, gan ei throi'n ddim ond dyfrffos llawn llaid, llaid mwdlyd a drewllyd sydd fel petai'n benderfynol o'n dal ni ac yna ein sugno ni i lawr a'n boddi. Dyw fy nhraed ddim wedi bod yn sych ers i mi fod yma. Dwi'n mynd i'r gwely'n wlyb. Dwi'n dihuno'n wlyb, ac mae'r oerfel yn treiddio drwy fy nillad gwlyb ac i'm hesgyrn poenus. Dim ond cwsg sy'n rhoi rhyddhad i ni, cwsg a bwyd. Dduw mawr, rydyn ni'n ysu am y ddau. Mae Wilkie yn symud yn ein plith ar doriad gwawr ar y gris saethu, gair fan hyn, gwên fan draw. Mae'n ein cadw ni i fynd, yn ein cadw at y safon. Os yw e'n ofnus, dydy e byth yn dangos hynny, ac os mai dyna yw dewrder, mae'n dechrau troi'n heintus.

Ond allen ni ddim gwneud heb Wil chwaith. Wil sy'n ein cadw ni gyda'n gilydd, yn dod â'n cweryla ni i ben (sy'n digwydd yn aml nawr, a ninnau ar ben ein gilydd) ac yn codi ein calonnau ni i gyd pan fyddwn ni'n dechrau digalonni. Mae wedi dod yn frawd mawr i bawb. Ar ôl Sarsiant Hanley a'r gosb gafodd e, a'r ffordd y llwyddodd Wil i wenu drwy'r cyfan, mae pob dyn yn y cwmni'n ei edmygu. Gan mai fi yw ei frawd go iawn, gallwn deimlo fy mod yn byw yn ei gysgod, ond dwi erioed wedi gwneud hynny a dwi ddim yn gwneud hynny nawr. Byw yn ei lewyrch rydw i.

Rydyn ni'n cael ychydig o ddyddiau diflas eto yn y llinell, a phob un ohonom yn dyheu am gysuron y gwersyll gorffwys. Ond ar ôl i ni gyrraedd yno maen nhw'n ein cadw ni'n brysur o hyd. Rydyn ni'n glanhau ein cit, yn martsio i fyny ac i lawr, yn paratoi at gael ein harchwilio dro ar ôl tro, yn gwneud ein dril masgiau nwy eto, ac mae mwy a mwy o ffosydd a draeniau i'w palu o hyd i gael gwared ar y glaw diddiwedd. Ond rydyn ni'n derbyn llythyrau o gartref, oddi wrth Mair a Mam, ac maen nhw wedi gwau sgarffiau a menig a sanau gwlân i ni ein dau. Rydym yn cael sawl bath gyda'n gilydd mewn twba enfawr o ddŵr poeth mewn ysgubor i lawr y ffordd ac, yn well na'r cyfan, wyau a sglodion a chwrw yn yr *estaminet* yn Pop. Mae'r ferch hardd â'r llygaid mawr yno, ond dyw hi ddim yn sylwi arnaf bob tro, a phan nad yw hi'n gwneud unrhyw sylw, dwi'n yfed mwy hyd yn oed, i foddi fy ngofidiau.

Pan ddaw eira cyntaf y gaeaf, rydyn ni'n ôl yn y ffosydd. Mae'r eira'n rhewi wrth gwympo, gan galedu'r llaid – ac mae hynny'n wir yn fendith. Os nad yw hi'n wyntog dydyn ni ddim yn oerach nag oedden ni o'r blaen, ac o leiaf gallwn gadw ein traed yn sych. Mae'r gynnau wedi aros yn gymharol dawel yn ein sector ni a does dim llawer wedi cael eu hanafu: un wedi'i anafu gan fwled, dau yn yr ysbyty yn dioddef o niwmonia, ac un yn dioddef yn wael o ddolur traed y ffosydd – sy'n effeithio arnom ni i gyd. O'r hyn rydyn ni'n ei glywed a'i ddarllen, rydyn ni yn y sector mwyaf lwcus y gallem fod ynddo, fwy neu lai.

Mae neges wedi dod o'r Pencadlys, medd Wilkie, fod yn rhaid i ni anfon patrolau allan i weld pa gatrodau sydd wedi dod i'r llinell gyferbyn â ni a faint ohonynt sydd – er nad ydyn ni'n gwybod pam mae'n rhaid gwneud hynny. Mae awyrennau gwylio'n gwneud hynny bron bob dydd. Felly fel arfer gyda'r nos nawr, caiff pedwar neu bump ohonom ein dewis, ac mae patrôl yn mynd allan i dir neb i ddod i wybod beth allan nhw. Gan amlaf dydyn nhw'n dod i wybod dim. Does neb yn hoffi mynd, wrth gwrs, ond does neb wedi cael ei anafu hyd yma, ac rydym yn cael dogn dwbl o rŷm cyn mynd ac mae pawb eisiau hwnnw.

Mae fy nhro i'n dod cyn hir, fel roedd yn siŵr o wneud. Dwi ddim yn poeni rhyw lawer. Mae Wil yn dod gyda fi, a Siôn Bach, Huw ac Ifan – "y pump ym mlaen y sgrym", mae Wil yn ein galw ni. Wilkie sy'n arwain y patrôl ac rydyn ni'n falch o hynny. Mae'n dweud wrthym fod yn rhaid i ni gyflawni'r hyn na lwyddodd y patrolau eraill i'w wneud. Rhaid i ni ddod 'nôl ag un carcharor i'w holi. Mae'n rhoi dogn dwbl o rỳm i bob un ohonom, a dwi'n cael fy nhwymo'n syth o wreiddiau fy ngwallt hyd fodiau fy nhraed.

"Cadw'n agos ata i, Tomi," sibryda Wil, ac yna rydyn ni'n dringo dros y top, yn cropian ar ein boliau drwy'r weiren. Rydyn ni'n gwingo ein ffordd yn ein blaenau. Rydyn ni'n llithro i dwll sièl ac yn gorwedd yn dawel yno am ychydig rhag ofn bod rhywun wedi ein clywed ni. Gallwn glywed yr Almaenwyr yn siarad nawr, ac yn chwerthin. Mae sŵn gramoffon yn chwarae – dwi wedi clywed hyn i gyd pan oeddwn i'n gwylio, ond o bell. Rydyn ni'n agos nawr, yn agos iawn, a dylwn i fod yn ofnus dros ben. Ond yn rhyfedd iawn, dwi'n teimlo mwy o gyffro nag o ofn. Efallai mai'r rỳm sydd ar fai. Dwi allan yn potsio unwaith eto, dyna sut mae'n teimlo. Dwi'n barod i wynebu perygl, ond ddim yn teimlo'n ofnus.

Mae'n cymryd oes i groesi tir neb. Dwi'n dechrau amau a ddown ni byth o hyd i'w ffosydd nhw. Wedyn rydyn ni'n gweld eu weiren nhw o'n blaenau. Rydyn ni'n gwingo drwy fwlch, a heb i neb ein gweld, rydyn ni'n mynd i lawr i'w ffos nhw. Mae'n edrych fel petai neb yno, ond rydyn ni'n gwybod nad yw hynny'n wir. Rydyn ni'n dal i glywed y lleisiau a'r gerddoriaeth. Dwi'n sylwi bod y ffos yn llawer dyfnach na'n ffos ni, yn lletach hefyd ac wedi ei hadeiladu'n fwy cadarn. Dwi'n cydio'n dynnach yn fy reiffl ac yn dilyn Wil ar hyd y ffos, yn fy nyblau, fel pawb arall. Rydyn ni'n ceisio peidio, ond rydyn ni'n gwneud gormod o sŵn. Dwi'n methu deall pam nad oes neb wedi ein clywed ni. Ble mae eu gwylwyr nhw, er mwyn popeth? O'n blaenau gallaf weld Wilkie'n amneidio â'i rifolfer i ni symud ymlaen. Mae pelydr o olau'n dod nawr o dwll ymochel o'n blaenau ni, lle mae'r lleisiau, lle mae'r gerddoriaeth. Wrth eu sŵn nhw, mae'n rhaid bod o leiaf hanner dwsin o ddynion yno. Dim ond un carcharor sydd ei angen arnom. Sut rydyn ni'n mynd i ymdopi â hanner dwsin ohonynt?

Yr eiliad honno mae'r golau'n llifo i'r ffos wrth i lenni'r twll ymochel agor. Mae milwr yn dod allan ac yn gwisgo'i got, a'r llenni'n cau y tu ôl iddo. Mae e ar ei ben ei hun, yr union beth rydyn ni eisiau. Dyw e ddim fel petai yn ein gweld ni'n syth. Yna mae'n gwneud. Am hanner eiliad dyw'r Almaenwr ddim yn symud modfedd, na ninnau chwaith. Dim ond sefyll ac edrych ar ein gilydd. Byddai wedi bod yn hawdd iddo wneud y peth doethaf, sef codi ei ddwylo a dod gyda ni. Yn lle hynny mae'n rhoi sgrech ac yn troi, a bustachu drwy'r llenni 'nôl i'r twll ymochel. Dwn i ddim pwy daflodd y grenâd i mewn ar ei ôl, ond mae 'na ffrwydrad sy'n fy nhaflu'n ôl yn erbyn wal y ffos. Dwi'n eistedd yno'n syfrdan. Mae sgrechian a thanio'n dod o'r twll ymochel, ac yna tawelwch. Mae'r gerddoriaeth wedi dod i ben.

Erbyn i mi gyrraedd yno mae Huw yn gorwedd ar ei ochr wedi'i saethu drwy ei ben, a'i lygaid yn rhythu arnaf. Mae'n edrych wedi synnu. Mae sawl Almaenwr yn gorwedd ar eu hyd yn y twll ymochel, pob un yn llonydd, pob un wedi marw – heblaw am un. Mae'n sefyll yno'n noeth, yn waed i gyd ac yn crynu. Dw innau'n crynu hefyd. Mae'n codi ei ddwylo i'r awyr ac yn crio. Mae Wilkie'n taflu cot drosto ac mae Ifan yn ei wthio allan o'r twll ymochel. Rydyn ni'n rhoi pob gewyn ar waith i gyrraedd 'nôl ac yn crafangu ein ffordd i fyny allan o'r ffos, a'r Almaenwr yn dal i grio. Mae wedi dychryn drwyddo. Mae Ifan yn gweiddi arno i beidio, ond dim ond gwneud pethau'n waeth mae e. Rydyn ni'n dilyn y capten drwy weiren yr Almaenwyr ac yn rhedeg.

Am ychydig dwi'n meddwl ein bod ni wedi llwyddo, ond wedyn mae fflêr yn codi ac yn sydyn rydyn ni wedi ein dal mewn golau dydd. Dwi'n taflu fy hun i'r ddaear ac yn claddu fy mhen yn yr eira. Mae eu fflerau nhw'n para llawer yn hirach na'n rhai ni, yn llosgi'n llawer mwy disglair. Dwi'n gwybod ein bod ni'n mynd i'w chael hi. Dwi'n gweddïo ac yn meddwl am Mair. Os ydw i'n mynd i farw, dwi eisiau meddwl amdani wrth farw. Ond dydw i ddim. Yn lle hynny dwi'n dweud sori wrth Tada am yr hyn wnes i, nad oeddwn i wedi bwriadu gwneud. Mae gwn peiriant yn dechrau saethu'r tu ôl i ni ac yna mae reifflau'n tanio. Does unman i guddio, felly rydyn ni'n esgus ein bod ni wedi marw. Rydyn ni'n aros tan i'r golau bylu ac i'r nos droi'n ddu unwaith eto. Mae Wilkie yn rhoi gorchymyn i ni godi ar ein traed ac ymlaen â ni, dan redeg, dan faglu, tan i ragor o oleuadau godi, ac mae'r gynnau peiriant yn dechrau saethu eto.

Rydyn ni'n mynd wysg ein pennau i grater enfawr ac yn rholio i lawr gan dorri drwy'r rhew i'r dŵr ar y gwaelod. Wedyn mae'r sielio'n dechrau. Mae'n union fel petaen ni wedi dihuno holl fyddin yr Almaenwyr. Dwi yn fy nghwrcwd yn y dŵr drewllyd gyda'r Almaenwr a Wil, a'r tri ohonom yn cydio yn ein gilydd, ein pennau wedi'u claddu yn ei gilydd wrth i'r sieliau gwympo o'n cwmpas. Mae ein gynnau ni'n ateb nawr ond dyw hynny'n ddim cysur i ni. Mae Wil a minnau'n llusgo'r Almaenwr o'r dŵr. Mae e naill ai'n siarad â'i hunan neu mae'n adrodd gweddi, mae'n anodd gwybod pa un.

Wedyn rydyn ni'n gweld Wilkie'n gorwedd yn uwch i fyny'r llethr, yn rhy agos at geg y crater. Wrth i Wil weiddi arno, dyw e ddim yn ateb. Mae Wil yn mynd ato ac yn ei droi drosodd. "Fy nghoesau i ...," dwi'n clywed y capten yn sibrwd. "Alla i ddim symud fy nghoesau." Mae e mewn man rhy agored, felly mae Wil yn ei lusgo i lawr mor dyner ag sy'n bosibl. Rydyn ni'n ceisio ei wneud yn gyfforddus. Mae'r Almaenwr yn dal i weddïo'n uchel. "*Du lieber Gott*," dwi'n clywed. Maen nhw'n galw Duw wrth yr un enw â'r Saeson. Mae Ifan a Siôn Bach yn cropian draw tuag atom o ben draw'r crater. O leiaf rydyn ni gyda'n gilydd. Mae'r ddaear yn crynu, a gyda phob ergyd mae cawodydd o fwd a cherrig ac eira'n arllwys arnom. Nid sŵn y ffrwydrad yw'r sŵn dwi'n ei gasáu ac yn ei ofni fwyaf – erbyn hynny mae popeth drosodd, ac rwyt ti naill ai'n farw neu'n fyw. Nage, sŵn chwibanu a chwynfan a sgrechian y sieliau wrth iddynt ddod drosodd. Dwyt ti ddim yn gwybod ble byddan nhw'n glanio, ac ai atat ti mae'r sièl yma'n dod.

Wedyn, mor ddisymwth ag y dechreuodd yr ymosodiad, mae'n dod i ben. Mae hi'n dawel. Mae'r tywyllwch yn ein cuddio unwaith eto. Mae mwg yn hofran drosom ac yn disgyn i lawr i'r twll, gan lenwi ein ffroenau â drewdod cordit. Rydyn ni'n ceisio mygu ein peswch. Mae'r Almaenwr wedi rhoi'r gorau i weddïo, ac mae'n gorwedd yn dorch yn ei got fawr, a'i ddwylo dros ei glustiau. Mae'n siglo'n ôl a blaen, fel Sam Mawr.

"Chyrhaeddaf i byth," medd Wilkie wrth Wil. "Fe gei di fynd â nhw i gyd yn ôl, Griffiths, a'r carcharor hefyd. Ewch nawr."

"Na, syr," ateba Wil. "Os oes un ohonon ni'n mynd, mae pawb yn mynd. Yntê, fechgyn?"

A dyna beth ddigwyddodd. O dan orchudd tarth y bore bach, llwyddon ni i gyrraedd ein ffosydd ein hunain. Cariodd Wil y capten ar ei gefn yr holl ffordd, tan i'r cludwyr stretsieri ddod i'w gyfarfod yn y ffos. Wrth iddynt ei godi, cydiodd Wilkie yn llaw Wil a chydio ynddi. "Dere i'm gweld i yn yr ysbyty, Griffiths," meddai. "Gorchymyn yw hwnna." Ac addawodd Wil y byddai'n gwneud.

Cawsom ni baned o de gyda'r carcharor yn y twll ymochel cyn iddyn nhw ddod i'w nôl. Ysmygodd sigarét roedd Ifan wedi'i rhoi iddo. Roedd wedi rhoi'r gorau i grynu nawr, ond roedd ei lygaid yn dal yn llawn ofn. Doedd gennym ddim i'w ddweud wrtho tan iddo godi i adael. "*Danke*," meddai. "*Danke sehr.*"

“Rhyfedd,” meddai Siôn Bach ar ôl iddo adael. “Ei weld e’n sefyll fan ’na’n gwbl borcyn. Ar ôl i ni dynnu ein hiwnifform, does dim llawer o wahaniaeth rhyngon ni, oes e? Doedd e ddim yn fachan gwael, o gofio mai Almaenwr oedd e.”

Y noson honno feddyliais i ddim, fel y dylwn i fod wedi gwneud, am Huw yn gorwedd mas fan’na yn nhwll ymochel yr Almaenwyr, a thwll yn ei ben. Meddyliais am y carcharor roedden ni wedi dod ag e ’nôl. Doeddwn i ddim hyd yn oed yn gwybod ei enw, ond, ar ôl y noson honno’n cyrcydu yn y twll gyda fe, teimlwn rywsut fy mod i’n ei adnabod e’n well nag oeddwn i erioed wedi adnabod Huw.

Rydyn ni ’nôl yn y gwersyll gorffwys, y rhan fwyaf ohonom ni beth bynnag. Down i wybod yn fuan ym mha ysbyty mae Wilkie, ac rydyn ni’n mynd i’w weld fel roedd Wil wedi addo. Mae’n debyg i “*chateau*” mawr, gydag ambiwlansiau’n mynd a dod, a nyrsys prysur ym mhobman. “Pwy ydych chi?” gofynnodd y swyddog wrth y ddesg.

“Griffiths,” medd Wil. “Griffiths yw’r ddau ohonon ni.”

Mae’r swyddog fel petai’n ein disgwyl ni. “Pa un ohonoch chi yw Wil Griffiths?”

“Fi,” medd Wil.

“Dywedodd Capten Wilkes y byddech chi’n dod.” Mae’r swyddog yn ymestyn i ddrôr y ddesg. Mae’n tynnu wats allan. “Fe adawodd e hon i chi,” meddai, ac mae Wil yn cymryd y wats.

“Ble mae e?” gofynna Wil. “Gawn ni ei weld e?”

"Fe fydd e 'nôl yn yr hen wlad erbyn hyn. Fe adawodd e ddoe. Roedd e mewn cyflwr gwael. Doedd dim byd arall y gallem ni ei wneud iddo fe fan hyn, mae arna i ofn."

Wrth i ni gerdded i lawr grisiau'r ysbyty mae Wil yn rhoi'r wats am ei arddwrn.

"Ydy hi'n gweithio?" gofynnaf.

"Wrth gwrs ei bod hi," ateba. Mae'n ei dangos i mi ar ei arddwrn. "Beth wyt ti'n feddwl?"

"Neis," atebaf.

"Nid dim ond neis yw hi, Tomi," medd Wil. "Mae hi'n wych, dyna beth yw hi. Cwbl wych. Cofia nawr – os digwydd unrhyw beth i fi, ti piau hi, o'r gorau?"

PUM MUNUD AR HUGAIN WEDI TRI

Mae'r llygoden yma eto. Bob hyn a hyn mae hi'n aros yn ei hunfan ac yn edrych arna i. Mae hi'n meddwl tybed a ddylai hi redeg i ffwrdd, ai ffrind ynteu gelyn ydw i. "*Ust, ust, llygoden fach yn gist.*" Dwi'n dal i gofio geiriau'r hen rigwm i gyd. Roedd Miss Roberts yn gwneud i ni sefyll a'i adrodd yn uchel:

"Ust, ust, llygoden fach yn gist;
Taw, taw, trawa hi â rhaw;
Paid, paid, trawa hi â'r gaib;
Mwrdwr, mwrdwr, trawa hi â'r mwrthwl."

Dwi'n cofio Miss Roberts yn ei adrodd yn ei hacen ogleddol ac yn dweud "*llygodan fach*". Mae'r llygoden fach hon o wlad Belg yn gwrando'n astud beth bynnag. Ond yn syth ar ôl i mi orffen, mae hi wedi mynd, a minnau ar fy mhen fy hun unwaith eto.

Yn gynharach fe ddaethon nhw draw a gofyn a oeddwn eisiau i rywun aros gyda fi drwy'r nos, ond gwrthodais y cynnig. Anfonais y caplan i ffwrdd, hyd yn oed. Gofynnon nhw a oeddwn i eisiau unrhyw beth, oedd yna unrhyw beth y gallen nhw wneud i helpu, a dwedais i nad oedd dim byd. Nawr dwi'n ysu am eu cael nhw yma i gyd, a'r caplan hefyd. Gallem ni fod wedi canu caneuon. Gallen nhw fod wedi dod ag wy a sglodion i mi. Gallem ni fod wedi meddwi'n rhacs a minnau'n teimlo dim erbyn hyn. Ond yr unig gwmni dwi wedi'i gael yw llygoden, llygoden o wlad Belg sy'n diflannu o hyd.

* * *

Y tro nesaf iddyn nhw ein hanfon ni i'r llinell, nid 'nôl i'n sector "tawel" ni yr aethon ni, ond i ymwthiad Wipers ei hun. Ers misoedd bellach roedd yr Almaenwyr wedi bod yn ymosod ar Wipers, yn gwneud pob ymdrech i gipio'r lle. Dro ar ôl tro roedden nhw bron wedi torri drwodd i'r dref ac wedi cael eu gwthio 'nôl ar yr eiliad olaf yn unig. Ond roedd yr ymwthiad o gwmpas y dref yn lleihau o hyd. O'r sôn yn yr *estaminet* yn Pop, ac o'r holl beledu cyson ychydig filltiroedd i'r dwyrain, roedden ni i gyd yn gwybod pa mor wael oedd hi yno. Gwyddai pawb eu bod nhw o'n cwmpas ni ar dair ochr ac yn edrych i lawr arnom, felly roedden nhw'n gallu taflu popeth fynnen nhw i'n ffosydd ni a doedd dim llawer y gallem ei wneud am y peth, ond ei ddioddef yn dawel.

Dywedodd pennaeth newydd y cwmni, Is-gapten Buckland, sut roedd pethau, sut y byddai Wipers yn cael ei cholli petaen ni'n ildio, ac na ddylid colli Wipers ar unrhyw gyfrif. Ddwedodd e ddim pam na ddylid colli Wipers, ond nid Capten Wilkes oedd e. Roedden ni i gyd yn gweld eisiau Wilkie yn fawr iawn. Hebddo roedden ni fel defaid heb fugail. Roedd yr Is-gapten Buckland yn gwneud ei orau, ond newydd ddod draw o Loegr roedd e. Efallai ei fod yn gallu siarad yn dda, ond roedd e'n gwybod llai na ni am ymladd y rhyfel. Dywedodd Siôn Bach mai dim ond hen lipryn bach ifanc oedd e, ac y dylai fynd 'nôl i'r ysgol. Ac roedd hynny'n ddigon gwir; roedd e'n edrych yn iau na phob un ohonom, hyd yn oed fi.

Wrth i ni fartsio drwy dref Wipers y noson honno roeddwn i'n holi fy hun pam roedd hi'n werth ymladd drosti. Allwn i ddim gweld bod unrhyw dref ar ôl, dim byd y gallech ei alw'n dref beth bynnag. Adfeilion a rwbel, dyna'r cyfan oedd yno, mwy o gŵn a chathod na thrigolion. Gwelsom ddau geffyl yn gorwedd yn farw gelain rhacs yn y stryd, wrth i ni basio'r hyn a oedd ar ôl o neuadd y dref. Ym mhob man roedd milwyr a gynnau ac ambiwlansiau'n symud, a hynny ar frys. Doedden nhw ddim yn sielio'r dref wrth i ni fynd drwyddi, ond roeddwn i'n fwy ofnus y pryd hwnnw nag y bues i erioed. Allwn i ddim peidio meddwl am y ceffylau a'u hanafiadau erchyll. Roeddwn i'n eu gweld nhw yn fy meddwl o hyd ac o hyd, a'r milwyr eraill hefyd, dwi'n meddwl. Chanodd neb. Siaradodd neb. Roeddwn i'n ysu am gyrraedd noddfa ein ffosydd newydd, dyna i gyd, a chropian i'r twll ymochel dyfnaf y gallwn ddod o hyd iddo, a chuddio.

Ond pan gyrhaeddon ni yno, roedd y ffosydd yn siom fawr i ni. Byddai Wilkie wedi arswydo o weld eu golwg nhw. Mewn mannau, dim ond ffosydd bas wedi cwympo oedden nhw, prin yn gallu ein hamddiffyn ni, ac roedd y llaid yn ddyfnach nag o'r blaen, hyd yn oed. Roedd drewdod melys yn y lle – roedd yn drewi o fwy na llaid a dŵr llonydd. Gwyddwn yn iawn beth oedd y drewdod, roedd pawb yn gwybod, ond doedd neb yn meiddio sôn am y peth. Cawsom wybod y dylem ni gadw ein pennau i lawr achos dyma'r man hawsaf i'r Almaenwyr ein saethu ni. Ond o leiaf roedd peth cysur pan gyrhaeddom y twll ymochel. Dyna'r un gorau a gawsom erioed; roedd yn ddwfn, yn gynnes ac yn sych. Ond roeddwn i'n methu cysgu. Gorweddais yno'r noson honno, gan wybod sut mae cadno sy'n cael ei hela'n teimlo wrth orwedd yn ei ffau a'r cŵn hela'n disgwyl amdano y tu allan.

Dwi'n sefyll yno adeg y 'stand-to' y bore canlynol, wedi fy nghloi yn fy masg nwy yn fy myd fy hun, yn gwrando arnaf i fy hun yn anadlu. Mae'r tarth yn codi dros dir neb. Dwi'n gweld tir diffaith wedi'i chwythu'n rhacs o'm blaen. Does dim olion caeau na choed yma, dim llafn o laswellt – dim ond llaid a thyllau enfawr. Dwi'n gweld twmpathau annaturiol wedi'u gwasgaru draw y tu hwnt i'n gwifren ni. Dyma'r rhai sydd heb eu claddu, rhai mewn iwnifform lwyd ac eraill mewn caci. Mae un yn gorwedd yn y weiren, ei fraich yn ymestyn fry i'r nefoedd, a'i law'n pwyntio. Un o'n rhai ni yw e, neu oedd e. Dwi'n edrych i fyny i'r fan lle mae'n pwyntio. Mae adar fry yno, ac maen nhw'n canu. Dwi'n gweld aderyn du â llygaid gloyw'n canu i'r byd oddi ar y weiren bigog. Does dim coeden iddo ganu ohoni.

Mae'r llipryn o uwch-gapten yn dweud, "Byddwch yn wyliadwrus, fechgyn. Byddwch yn ofalus." Mae o wastad yn gwneud hynny, wastad yn dweud wrthym am wneud pethau rydyn ni'n eu gwneud yn barod. Ond does dim byd yn symud allan fan 'na yn nhir neb, dim ond y brain. Tir y meirwon yw e.

Rydyn ni'n ôl yn y twll ymochel wedyn, yn paratoi te, pan mae'r peledu'n dechrau. Mae'r ymosodiad yn para dau ddiwrnod cyfan. Dau ddiwrnod hiraf fy mywyd. Dwi'n cyrcydu yno, a phawb arall, a phob un ohonom ar ein pennau ein hunain yn ein byd truenus ein hunain. Allwn ni ddim siarad oherwydd y dwndwr. Mae'n anodd cysgu. Pan lwyddaf i gysgu dwi'n gweld y llaw'n pwyntio i'r awyr, a llaw Tada yw hi, a dwi'n crynu wrth ddihuno. Mae Siôn Bach yn crynu drwy'r amser hefyd, ac mae Ifan yn ceisio'i gysuro ond mae'n methu. Dwi'n crio fel babi weithiau ac ni all hyd yn oed Wil wneud dim i'm cysuro. Rydyn ni eisiau i'r cyfan ddod i ben, dyna i gyd, i'r ddaear fod yn llonydd unwaith eto, i ni gael tawelwch. Dwi'n gwybod pan fydd y cyfan ar ben y byddan nhw'n dod amdanom ni, y bydd yn rhaid i mi fod yn barod amdanynt, am y nwy, efallai, neu'r taflwr fflamau, neu'r grenadau, neu'r bidogau. Ond does dim gwahaniaeth gen i sut y dôn nhw. Gadewch iddyn nhw ddod. Dwi eisiau i hyn orffen, dyna i gyd. Dwi eisiau i hyn ddod i ben, dyna i gyd.

Pan ddaw'r cyfan i ben o'r diwedd, daw gorchymyn i ni sefyll ar ris saethu'r ffos, a'n masgiau nwy am ein hwynebau, ein bidogau'n barod, a'n llygaid yn rhythu drwy'r mwg sy'n hofran draw o'n blaenau ni. Yna o'r mwg rydym yn eu gweld nhw'n dod, a'u bidogau'n sgleinio, un neu ddau i ddechrau, ond yna mae cannoedd, miloedd. Mae Wil yno wrth fy ochr.

"Fe fyddi di'n iawn, Tomi," medd Wil. "Fe fyddi di'n iawn."

Mae e'n gwybod am beth dwi'n meddwl. Mae e'n gweld fy ofnau. Mae e'n gwybod fy mod i eisiau rhedeg.

"Gwna'n union fel fi, o'r gorau? Ac aros gyda fi."

Dwi'n aros a dwi ddim yn rhedeg, dim ond o achos Wil. Mae'r tanio'n dechrau ar hyd y llinell, gynnau peiriant a reifflau, sielio, a dw innau'n saethu hefyd. Dwi ddim yn anelu at ddim, dim ond saethu, saethu, llwytho a saethu eto. Ac maen nhw'n dal i ddod. Am rai eiliadau mae'n ymddangos fel petai'r bwledi yn eu methu. Maen nhw'n dod tuag atom heb eu hanafu, yn fyddin o ysbrydion llwyd anorchfygol. Dim ond wrth iddynt ddechrau gwegian a gweiddi'n uchel a chwympo dwi'n dechrau credu eu bod nhw'n farwol. Ac maen nhw'n ddewr, hefyd. Dydyn nhw ddim yn petruso. Does dim gwahaniaeth faint sy'n cael eu torri i lawr, mae'r rhai sy'n weddill yn dal i ddod. Gallaf weld eu llygaid gwyllt wrth iddynt gyrraedd ein weiren ni. Y weiren sy'n eu hatal nhw. Rywsut mae digon o'r weiren yn dal i sefyll ar ôl y peledu. Ambell un yn unig sy'n dod o hyd i'r bylchau, ac maen nhw'n cael eu saethu i lawr cyn iddynt gyrraedd ein ffosydd ni. Mae'r rhai sy'n weddill, a does dim llawer ohonynt nawr, wedi troi ac yn camu'n ôl, mae rhai'n taflu eu reifflau i lawr. Dwi'n teimlo ton fuddugoliaethus yn codi ynof, nid oherwydd ein bod ni wedi ennill, ond oherwydd fy mod wedi sefyll gyda'r lleill. Dwi ddim wedi rhedeg oddi yno.

"Dwyt ti ddim yn llwfrgi, wyt ti?"

Nac ydw, hen wraig, dwi ddim, dwi ddim.

Wedyn mae'r chwiban yn canu, a dwi'n codi gyda'r lleill ac yn eu dilyn. Rydyn ni'n llifo drwy'r bwlch yn y weiren. Maen nhw'n gorwedd yn drwch ar lawr fel ei bod yn anodd peidio camu arnynt. Dwi ddim yn teimlo trueni drostynt, ond does dim casineb chwaith. Daethon nhw i'n lladd ni, a ni laddodd nhw. Dwi'n edrych i fyny. Maen nhw'n rhedeg oddi wrthym wrth i ni fynd ymlaen. Rydyn ni'n saethu fel y mynnwn ni nawr, yn eu taro fesul un. Rydyn ni wedi croesi tir neb cyn i ni sylweddoli. Rydyn ni'n dod o hyd i ffordd i dorri drwy eu weiren nhw ac yn neidio i lawr i'w ffosydd blaen nhw. Heliwr ydw i, yn chwilio am ysbail, ysbail y byddaf yn ei ladd, ond mae'r ysbail wedi mynd. Mae'r ffos yn wag.

Mae'r Is-gapten Buckland ar y parapet uwch ein pennau, yn gweiddi arnom i'w ddilyn, achos eu bod nhw'n mynd am 'nôl. Dwi'n ei ddilyn. Rydyn ni i gyd yn ei ddilyn. Dyw e ddim yn gymaint o lipryn ag oedden ni'n meddwl. Ym mhob man dwi'n edrych, i'r dde, i'r chwith, cyn belled ag y gwelaf, rydyn ni'n symud ymlaen a minnau'n rhan o'r cyfan ac yn sydyn dwi'n teimlo'n wych. Ond o'n blaenau ni mae'r gelyn fel petai wedi diflannu. Dwi ddim yn siŵr beth i'w wneud nawr. Dwi'n edrych ym mhobman am Wil, ond does dim sôn amdano. Dyna pryd mae'r sièl gyntaf yn sgrechian drosodd. Dwi'n taflu fy hun i lawr, yn gwasgu fy hun i'r mwd, wrth iddi ffrwydro wrth fy ymyl, gan fy myddaru'n syth. Ar ôl tipyn dwi'n gorfodi fy hun i godi fy mhen ac edrych. O'm blaen dwi'n gweld ein bod ni'n dal i symud yn ein blaenau, ac ym mhob man o'n blaenau mae reifflau'n tanio, a fflamau'r gynnau peiriant yn poeri. Am eiliad dwi'n meddwl fy mod eisoes wedi marw. Mae popeth yn dawel, mae popeth yn afreal. Mae storm dawel o sielio'n digwydd o'm cwmpas. O flaen fy llygaid rydyn ni'n cael ein torri i lawr, ein chwythu'n ddarnau, ein difodi. Dwi'n gweld dynion yn gweiddi ond dwi'n clywed dim. Mae'n union fel pe bawn i ddim yno, fel pe bai'r erchylltra yma'n methu cyffwrdd â mi.

Maen nhw'n baglu'n ôl tuag ataf nawr. Does dim golwg o Wil gyda nhw. Mae'r is-gapten yn cydio ynof ac yn fy nhynnu ar fy nhraed. Mae'n gweiddi arnaf, yna'n fy nhroi ac yn fy ngwthio'n ôl tuag at ein ffosydd ni. Dwi'n ceisio rhedeg gyda'r lleill, yn ceisio dal i fyny â nhw. Ond mae fy nghoesau fel plwm ac yn gwrthod gadael i mi redeg. Mae'r is-gapten yn aros gyda fi, yn fy annog yn fy mlaen, yn ein hannog i gyd yn ein blaenau. Mae'n ddyn da. Mae yno'n union wrth fy ymyl pan gaiff ei daro. Mae'n cwympo i'w bengliniau ac yn edrych i fyny arnaf wrth iddo farw. Dwi'n gweld y golau'n pylu yn ei lygaid. Dwi'n ei wylio'n cwympo ymlaen ar ei wyneb. Dwi ddim yn gwybod sut dwi'n llwyddo i fynd 'nôl wedyn, ond dwi'n gwneud hynny. Dwi'n cael fy hunan yn dorch yn y twll ymochel, ac mae'r twll ymochel yn hanner gwag. Dyw Wil ddim yno. Dyw e ddim wedi dod 'nôl.

O leiaf dwi'n gallu clywed eto nawr, hyd yn oed os mai sŵn clychau yn fy mhen yw'r rhan fwyaf. Mae gan Ifan newyddion am Wil. Mae'n dweud ei fod yn siŵr iddo ei weld ar y ffordd 'nôl o ffosydd yr Almaenwyr, yn hercian, yn defnyddio'i reiffl fel ffon, ond yn iawn. Mae hynny'n rhoi gobaith gwan i mi, ond mae'n obaith sy'n cilio'n raddol wrth i'r oriau fynd heibio. Wrth i mi orwedd yno dwi'n ail-fyw pob erchylltra unwaith eto. Dwi'n gweld yr olwg ddryslyd ar wyneb yr is-gapten wrth iddo benlinio yno, yn ceisio siarad â mi. Dwi'n gweld miloedd o sgrechiadau tawel. Er mwyn gyrru'r gweledigaethau hyn i ffwrdd, dwi'n adrodd pob math o storïau am Wil wrthyf fy hun i'm cysuro: bod Wil allan yno mewn rhyw dwll enfawr, yn aros i'r cymylau guddio'r lleuad cyn iddo gropian 'nôl; ei fod wedi mynd ar goll ac wedi cyrraedd rhyw gatrawd arall ymhellach i lawr y llinell a bydd yn dod o hyd i'w ffordd 'nôl atom yn y bore – mae'n digwydd drwy'r amser. Mae fy meddwl ar ras ac yn gwrthod gadael i mi orffwys. Does dim sielio i darfu ar fy meddyliau. Y tu allan mae'r byd yn dawel. Mae'r ddwy fyddin yn gorwedd wedi ymlâdd yn eu ffosydd ac yn gwaedu i farwolaeth.

Erbyn y 'stand-to' y bore canlynol gwyddwn yn iawn na fyddai Wil yn dod 'nol, mai dim ond dychymyg oedd fy holl storïau i mewn gwirionedd. Roedd Ifan a Siôn a'r lleill wedi ceisio fy narbwyllo y gallai fod yn dal yn fyw. Ond roeddwn i'n gwybod nad oedd. Doeddwn i ddim yn galaru. Doeddwn i'n teimlo dim, roeddwn yn hollol ddideimlad fel y dwylo oedd yn cydio yn fy reiffl. Edrychais allan i dir neb lle roedd Wil wedi marw. Roedden nhw'n gorwedd fel petaent wedi cael eu gwthio'n bentwr yn erbyn y weiren gan y gwynt, ac roedd Wil, gwyddwn yn iawn, yn un ohonynt. Meddyliais tybed beth fyddwn yn ei ysgrifennu at Mair a Mam. Gallwn glywed llais Mam yn fy mhen, gallwn ei chlywed yn dweud wrth Sam Mawr na fyddai Wil yn dod 'nôl, ei fod wedi mynd i'r Nefoedd i fod gyda Tada a Meg. Byddai Sam Mawr yn drist. Byddai'n siglo. Byddai'n canu *Si-so, jac-y-do*, a galaru yn ei goeden. Ond ar ôl ychydig ddyddiau byddai ei ffydd yn ei gysuro. Byddai'n credu'n llwyr bod Wil i fyny fry yng nglas y Nefoedd, fry uwchben tŵr yr eglwys yn rhywle. Roeddwn i'n eiddigeddu wrtho oherwydd hynny. Allwn i ddim hyd yn oed esgus fy mod i bellach yn credu mewn duw trugarog, na chwaith mewn nefoedd, ddim bellach, ddim ar ôl i mi weld beth allai dynion ei wneud i'w gilydd. Dim ond yn yr uffern roeddwn i'n byw ynddi y gallwn gredu, uffern ar y ddaear, a dyn oedd wedi'i chreu, nid Duw.

Y noson honno, fel dyn yn cerdded yn ei gwsg, codais i gymryd fy nhro ar ddyletswydd gwylio. Roedd yr awyr yn llawn sêr. Roedd Mair yn adnabod y sêr yn dda – yr Aradr, y Llwybr Llaethog, Seren y Gogledd – roedd hi'n aml wedi ceisio fy nysgu ble roedden nhw i gyd pan oeddem ni allan yn potsio. Ceisiais gofio, ceisiais weld ble roedden nhw ynghanol y miliynau o sêr, a methu. Wrth i mi edrych i fyny mewn rhyfeddod ar fawredd a phrydferthwch y cyfan, teimlwn fy mod bron yn credu mewn Nefoedd eto. Dewisais un seren ddisglair yn y gorllewin i fod yn Wil ac un arall nesaf ato. Tada oedd honno. Roedden nhw gyda'i gilydd yn edrych i lawr arnaf. Meddyliais wedyn trueni nad oeddwn wedi dweud wrth Wil am sut buodd Tada farw, achos fyddai dim cyfrinachau rhyngom wedyn. Ddylwn i ddim bod wedi cadw'r gyfrinach rhagddo. Felly, heb yngan gair, dwedais wrtho'r pryd hwnnw, gwelais ef yn disgleirio ac yn wincio arnaf, a gwyddwn ei fod wedi deall ac nad oedd yn fy meio. Wedyn clywais lais Wil yn fy mhen. "Paid â dechrau breuddwydio ar ddyletswydd gwylio, Tomi," meddai. "Fe fyddi di'n cwympo i gysgu. Fe elli di gael dy saethu am wneud hynny." Agorais fy llygaid led y pen, eu cau'n dynn, a chymryd llwnc mawr o awyr oer i'm dihuno.

Eiliadau'n unig yn ddiweddarach gwelais rywbeth yn symud y tu hwnt i'r weiren. Gwrandewais. Roedd sŵn clychau yn dal yn fy nghlustiau, felly allwn i ddim bod yn siŵr, ond meddyliais fy mod yn gallu clywed rhywun, llais, a llais nad oedd yn fy mhen. Roedd rhywun yn sibrwd. "Hei! Oes rhywun 'na? Fi sy 'ma. Wil Griffiths. Cwmni D. Dwi'n dod i mewn. Peidiwch â saethu." Efallai fy mod i'n cysgu'n barod ac mewn breuddwyd wych roeddwn eisiau iddi fod yn wir. Ond daeth y llais eto, yn uwch y tro hwn. "Beth sy'n bod arnoch chi i gyd? Ydych chi'n cysgu'n drwm neu beth? Wil sy 'ma, Wil Griffiths."

O dan y weiren symudodd ffurf dywyll tuag ataf. Nid breuddwyd, nid un o'm storïau bach i. Wil oedd e. Gallwn weld ei wyneb a gallai yntau fy ngweld innau. "Tomi, y pwdryn. Rho help llaw i mi, wnei di?" Cydiais ynddo a'i dynnu i lawr i'r ffos. "Dwi mor falch o dy weld di!" meddai. Wedyn dyma ni'n cofleidio. Dwi ddim yn credu ein bod ni erioed wedi gwneud hynny o'r blaen. Dechreuais lefain, a cheisio'n ofer i guddio hynny, tan i mi deimlo bod yntau'n llefain hefyd.

"Beth ddigwyddodd?" gofynnais o'r diwedd.

"Fe saethon nhw fi yn fy nhroed, choeliet ti byth? Reit drwy fy esgid. Fe fues i'n gwaedu fel mochyn. Roeddwn i ar fy ffordd yn ôl a dyma fi'n llewygu mewn rhyw dwll sièl. Erbyn i mi ddihuno ro'ch chi i gyd wedi mynd a 'ngadael i. Roedd yn rhaid i mi aros tan iddi nosi. Dwi'n teimlo 'mod i wedi bod yn cropian drwy'r blydi nos."

"Ydy'r droed yn boenus?"

"Dwi'n methu teimlo dim," meddai Wil. "Ond cofia, dwi'n methu teimlo'r droed arall chwaith – dwi wedi rhewi'n gorn. Ond paid â phoeni, Tomi. Fe fydda i'n iach fel cneuen mewn dim o dro."

Aethon nhw â fe ar stretsier i'r ysbyty'r noson honno, a welais i mohono eto tan iddyn nhw ein tynnu ni allan o'r llinell rai diwrnodau'n ddiweddarach. Aeth Ifan a minnau i'w weld cyn gynted ag y gallon ni. Roedd wedi codi ar ei eistedd yn ei wely ac yn wên o glust i glust. "Mae'n dda fan hyn," meddai. "Fe ddylech chi drio dod 'ma rywbryd. Tri phryd da o fwyd y dydd, nyrsys, dim mwd, ac yn ddigon pell i ffwrdd oddi wrth yr Almaenwyr."

"Sut mae'r droed?" gofynnais iddo.

"Troed? Pa droed?" Rhoddodd ei law'n ysgafn ar ei goes. "Nid troed yw honna, Tomi. Fy nhocyn adref yw hi. Fe roddodd ryw Almaenwr caredig yr anrheg orau bosib i mi, tocyn adref i'r hen wlad. Maen nhw'n fy anfon i ysbyty gartref. Mae'r droed wedi mynd braidd yn heintus. Llawer o esgyrn wedi'u torri, medden nhw. Fe fydd hi'n gwella, ond fe fydd angen llawdriniaeth, ac wedyn mae'n rhaid i mi orffwys. Felly maen nhw'n fy anfon i 'nôl yfory."

Gwyddwn y dylwn deimlo'n falch drosto, ac roeddwn eisiau bod, ond allwn i ddim, yn fy myw. Y cyfan y gallwn feddwl amdano oedd ein bod ni wedi dod i'r rhyfel yma gyda'n gilydd. Roeddem wedi aros gyda'n gilydd drwy'r cyfan, a nawr roedd e'n torri'r cwlwm rhyngom ni, ac yn fy ngadael. Ar ben popeth roedd e'n mynd adref hebof i, ac roedd e mor ddigywilydd o hapus am y peth.

"Fe wna i dy gofio at bawb, Tomi," meddai. "Fe gaiff Ifan gadw llygad arnat ti drosta i. Fe wnei di ofalu amdano fe, oni wnei di, Ifan?"

"Dwi ddim eisiau neb i ofalu amdana i," meddwn i'n swta.

Ond roedd Wil naill ai heb fy nghlywed i neu'n fy anwybyddu. "A gofala di ei fod e'n bihafio, Ifan. Y ferch 'na yn yr *estaminet* yn Pop, mae ei llygaid hi arno fe. Fe fydd hi'n ei fwyta fe'n fyw." Chwarddodd y ddau wrth fy ngweld yn gwrido, ac allwn i ddim cuddio'r ffaith fy mod i wedi brifo ac yn teimlo'n anghysurus. "Hei, Tomi." Rhoddodd Wil ei law ar fy mraich. "Fe fydda i 'nôl cyn i ti sylweddoli." Ac roedd e'n ddifrifol nawr, am y tro cyntaf. "Dwi'n addo," meddai.

"Fe fyddi di'n gweld Mair, 'te, a Mam?" gofynnais.

"Fyddan nhw ddim yn gallu fy rhwystro i," meddai. "Fe geisia i gael ychydig o *leave*. Neu efallai y byddan nhw'n dod i 'ngweld i yn yr ysbyty. Gyda lwc fe ga i weld y babi. Llai na mis i fynd nawr, Tomi, ac fe fydda i'n dad. Fe fyddi di'n wncwl hefyd. Meddylia am hynny."

Ond y noson ar ôl i Wil adael am yr hen wlad, doeddwn i ddim yn meddwl am hynny o gwbl. Roeddwn i yn yr *estaminet* yn Pop, yn boddi fy nicter mewn cwrw. A dicter roeddwn i'n ei foddi hefyd, nid gofidiau'n unig: dicter tuag at Wil am ei fod yn fy ngadael, dicter ei fod yn cael gweld Mair a gartref, a minnau'n methu. Yn fy nghyflwr dryslyd meddyliais am ffoi hyd yn oed, am fynd ar ei ôl. Byddwn yn gwneud fy ffordd i'r Sianel a dod o hyd i gwch. Fe fyddwn i'n cyrraedd adref rywsut.

Edrychais o'm cwmpas. Rhaid bod cant neu ragor o filwyr yn y lle y noson honno. Roedd Ifan a Siôn Bach yno, a rhai o'r lleill hefyd, ond roeddwn i'n teimlo'n gwbl unig. Roedden nhw'n chwerthin a minnau'n methu chwerthin. Roedden nhw'n canu a minnau'n methu canu. Roeddwn i hyd yn oed yn methu bwyta fy wyau a sglodion. Roedd hi'n drymaidd a phoeth yno a'r awyr yn drwch o fwg sigaréts. Daeth hynny â mi at fy nghoed yn gyflym iawn, a rhoddais y gorau ar unwaith i feddwl am ffoi – fe allwch chi gael eich saethu am ffoi o'r frwydr.

"Tommy?"

Hi oedd yno, y ferch o'r *estaminet*. Roedd hi'n cario cawell o boteli gwin allan.

"Wyt ti'n sâl?" gofynnodd i mi.

Roeddwn yn methu siarad, ac ysgydwais fy mhen. Buom yn sefyll am rai eiliadau yn gwrando ar daran y gynnau wrth i ymosodiad mawr ddechrau dros Wipers, a goleuodd yr awyr uwchben y dref fel machlud ffyrnig. Cododd fflerau i'r awyr, yna hofran a chwympo dros y llinell flaen.

"Mae'n hardd," meddai. "Sut gall e fod yn hardd?"

Roeddwn i eisiau siarad, ond allwn i ddim mentro gwneud. Yn sydyn teimlais fod dagrau'n fy llethu, a minnau'n hiraethu am gartref ac am Mair.

"Beth yw dy oedran di?" gofynnodd.

"Un ar bymtheg," meddwn o dan fy anadl.

"Fel fi," meddai. Roedd hi'n edrych arnaf yn fanylach. "Dwi wedi dy weld di o'r blaen, dwi'n credu?" Nodiais. "Gaf i dy weld di eto, efallai?"

"O'r gorau," meddwn i. Wedyn roedd hi wedi mynd a minnau ar fy mhen fy hun unwaith eto yn y nos. Roeddwn i'n fwy llonydd nawr, wedi ymdawelu ac yn gryfach hefyd. Wrth gerdded 'nôl i'r gwersyll, dyma fi'n gwneud penderfyniad. Roeddem ni'n cael ein hanfon i ffwrdd i gael ein hyfforddi'r diwrnod canlynol, ond cyn gynted ag y byddwn i'n dod 'nôl, byddwn i'n mynd yn syth i Pop, i'r *estaminet*, a phan fyddai'r ferch yn dod â'r wyau a sglodion i mi, byddwn i'n ddewr –

byddwn yn gofyn iddi beth oedd ei henw.

Bythefnos yn ddiweddarach roeddwn i 'nôl, a dyna'n union beth wnes i. "Anna," meddai wrthyf. A chwarddodd yn llon pan ddwedais wrthi mai Tomi oedd fy enw. "Mae'n wir, felly," meddai. "Tommy yw enw pob milwr o Sais."

"Ond Cymro ydw i, nid Sais, Tomi ydw i, nid Tommy," atebais.

"Mae'n union yr un fath," chwarddodd. "Ond rwyt ti'n wahanol, yn wahanol i'r lleill, dwi'n credu."

Pan glywodd fy mod wedi gweithio ar fferm, gyda cheffylau hefyd, aeth â mi i'r stabl a dangos ceffyl gwedd ei thad i mi. Roedd e'n enfawr ac yn wych. Cyffyrddodd ein dwylo â'i gilydd wrth i ni roi mwythau iddo. Cusanodd fi wedyn, rhedodd ei gwefusau dros fy moch. Gadewais hi a cherdded 'nôl ar hyd yr heol wyntog i'r gwersyll o dan y lleuad lawn, gan ganu *Si-so, jac-y-do* nerth fy mhen.

Roedd Ifan yn y babell, yn gwgu wrth fy nghyfarch. "Fyddi di ddim mor hapus, Tomi, pan glywi di beth sydd gyda fi i'w ddweud wrthot ti."

"Beth?" gofynnais.

"Ein sarsiant newydd ni. Chredi di byth – yr hen 'Horrible Hanley' o Etaples yw e."

O hynny ymlaen, bob awr roedden ni ar ddihun bob dydd, roedd Hanley ar ein pennau ni. Roedden ni wedi cael ein maldodi, meddai. Roedden ni'n filwyr di-drefn ac roedd e'n mynd i roi trefn arnom unwaith eto. A doedden ni ddim yn cael gadael y gwersyll nes ei fod e'n fodlon. Ac wrth gwrs doedd e byth yn fodlon. Felly roeddwn i'n methu mynd allan o'r gwersyll i weld Anna eto. Erbyn i ni fynd 'nôl i'r llinell, a Hanley'n cnoi wrth ein sodlau, roedd ei lais wedi troi'n gyfarth cas ym mhen pob un ohonom. Roedd pob un ohonom yn ei gasáu â chas perffaith, yn llawer mwy nag roedden ni erioed wedi casáu'r Almaenwyr.

BRON YN BEDWAR O'R GLOCH

Mae dechrau'r dydd yn awyr y nos; dyw golau gwan y wawr ddim yno eto, ond mae'r nos yn sicr yn colli ei thywyllwch. Mae ceiliog yn canu cân y bore, ac yn dweud wrthyf yr hyn dwi'n ei wybod yn barod ac nad wyf eisiau ei gredu, sef y bydd y wawr yn torri a hynny cyn bo hir iawn.

Gartref, y bore oedd cerdded gyda Wil i'r ysgol, cicio ein ffordd drwy bentyrrau o ddail yr hydref a sathru'r rhew ar wyneb y pyllau, neu'r tri ohonom yn dod i fyny drwy'r goedwig ar ôl noson yn potsio ar afon y Cyrnol, ac yn cropian ar ein pedwar i wylio mochyn daear na wyddai ein bod ni yno. Yma, y bore yw dihuno bob dydd â'r un teimlad o arswyd yng ngwaelod fy stumog, gan wybod y bydd yn rhaid i mi wynebu marwolaeth eto, marwolaeth rhywun arall hyd yma, ond heddiw, efallai, fy marwolaeth i, ac mai hwn o bosib fydd y tro olaf i mi weld y wawr, fy niwrnod olaf ar y ddaear.

Y cyfan sy'n wahanol am y bore hwn yw fy mod i'n gwybod pwy fydd yn marw a sut bydd hynny'n digwydd.

Dyw pethau ddim cynddrwg o edrych arni fel yna. Edrych arni fel yna, Tomi. Edrych arni fel yna.

* * *

Roeddwn i bob amser wedi dychmygu y byddwn i ar goll heb

Wil wrth fy ymyl, a'r gwir amdani yw y gallwn fod wedi bod ar goll oni bai am y criw newydd o recriwtiaid a ymunodd â ni'n syth o gartref. Ac roedd eu hangen nhw arnom. Roedd ein hanner ni, bron, ar goll erbyn hyn, wedi eu lladd neu eu hanafu neu'n sâl. Iddyn nhw, roedd y gweddill ohonom ni'n filwyr a oedd wedi'u caledu gan frwydro, hen ddynion a oedd wedi gweld y cyfan, ac felly i'w hedmygu, i'w parchu, a hyd yn oed i'w hofni ryw ychydig, mae'n debyg. Er fy mod i'n dal i deimlo'n ifanc, dwi ddim yn credu fy mod i'n edrych yn ifanc, ddim bellach. Roedd Ifan a Siôn Bach a minnau'n hen filwyr nawr, ac roedden ni'n ymddwyn felly, yn cysuro neu'n dychryn y recriwtiaid newydd bob yn ail â'n hanesion, yn dod yn gyfeillion iddyn nhw neu'n tynnu eu coesau. Dwi'n credu ein bod ni'n tueddu i chwarae'r rhan roedden nhw'n ei rhoi i ni. Roeddem ni'n ei mwynhau hi hefyd, yn enwedig Ifan, a oedd yn fwy dyfeisgar na Siôn a fi wrth adrodd ei hanesion. Roedd hyn i gyd yn rhoi llai o amser i mi boeni am fy ofnau fy hunan. Roeddwn i'n llawer rhy brysur yn esgus bod yn rhywun arall.

Am ychydig amser, roedd bywyd mor dawel ag y gallai fod ar y llinell flaen. Doedden ni a'r Almaenwyr ddim yn gwneud llawer mwy na phoenydio ein gilydd gydag ambell belen si-glec a phatrolau nos. Yn y twll ymochel a'r ffosydd cyfyng ni allai Sarsiant Hanley, hyd yn oed, wneud llawer i wneud ein bywyd yn fwy diflas nag oedd yn barod, er iddo wneud ei orau gydag archwiliadau diddiwedd a'r cosbau oedd yn dilyn o hynny. Ond roedd y gynnau'n dawel am ddyddiau bwygilydd, disgleiriai haul y gwanwyn, gan gynhesu ein cefnau a sychu'r mwd. Ac i goroni'r cyfan, roeddem ni'n mynd i'r gwely'n sych – pleser prin, pleser gwyrthiol. Oedd, roedd y llygod mawr yn dal yno ac roedd y llau'n dwlu arnom gymaint ag erioed, ond doedd hyn yn ddim byd o'i gymharu â'r cyfan roeddem ni wedi bod drwyddo o'r blaen.

Erbyn hyn dwi'n meddwl bod y recriwtiaid newydd i gyd yn dechrau meddwl ein bod ni'r hen fechgyn wedi bod yn gorliwio ein hanesion caletach am ymladd yn y ffosydd. Diflastod a Sarsiant Hanley oedd y pethau gwaethaf roedden nhw wedi gorfod eu dioddef hyd yma. Ac roedd hi'n sicr yn wir, yn arbennig yn achos Ifan, ein bod ni wedi ymestyn ambell stori. Ond roedd Ifan, fel y gweddill ohonom, wedi adrodd hanesion a oedd, i raddau helaeth beth bynnag, â rhyw gysylltiad â'r gwirionedd. Allai dim un ohonom, dim hyd yn oed Ifan, fod wedi gallu dychmygu neu ddyfalu'r hyn a fyddai'n digwydd i ni ar y bore tawelaf o fis Mai, pan nad oeddem ni'n ei ddisgwyl o gwbl.

Roedd 'stand-to' ar y gris tanio gyda'r wawr wedi digwydd fel arfer; nid oedd ond yn fater o drefn nawr, ac yn dipyn o boendod hefyd. Roedd ymosodiadau'n digwydd gan amlaf gyda'r wawr, roeddem ni'n gwybod hynny, ond ar ôl yr holl amser doeddem ni ddim yn disgwyl i unrhyw beth ddigwydd, a doedd dim wedi digwydd, ddim ers amser maith nawr. Roeddem ni wedi ein twyllo gan yr awyr las efallai, neu gan ddiflastod llwyr. Roedd yr Almaenwyr fel petaent wedi cwympo i gysgu ac roedd hynny'n ein siwtio ni i'r dim. Roeddem ni'n meddwl y gallem ninnau gwympo i gysgu hefyd. Daeth y deffro'n sydyn. Roeddwn i yn y twll ymochel, newydd ddechrau ysgrifennu llythyr adref.

Dwi'n ysgrifennu at Mam – dwi ddim wedi ysgrifennu ers tro a dwi'n teimlo'n euog am y peth. Mae blaen fy mhensel yn torri o hyd a dwi'n ei naddu eto. Mae pawb arall yn gorwedd yn gysglyd yn yr haul neu'n eistedd o gwmpas yn ysmygu a siarad. Mae Siôn Bach yn glanhau ei reiffl eto. Mae'n ffyslyd iawn am hynny o hyd.

"Nwy! Nwy!"

Mae'r gri'n codi ac yn atseinio ar hyd y ffos. Am eiliad rydym wedi rhewi gan ofn. Rydym wedi ymarfer ar gyfer hyn dro ar ôl tro, ond serch hynny rydym yn ymbalfalu'n drwsgl, yn wyllt, â'n masgiau nwy.

"Gosodwch y bidogau'n barod!" mae Hanley'n gweiddi, a ninnau'n dal wrthi'n orffwyll yn ceisio tynnu'r masgiau nwy am ein hwynebau. Rydyn ni'n cydio yn ein reifflau ac yn gosod y bidogau. Rydyn ni ar y gris tanio'n edrych allan ar dir neb, ac yn ei weld yn rholio tuag atom, y cwmwl marwol y clywsom gymaint amdano ond nad ydym ni erioed wedi ei weld â'n llygaid ein hunain tan nawr. Mae ei fysedd angheuol yn chwilio eu ffordd ymlaen, yn teimlo eu ffordd ymlaen yn chwiffiau melyn hir, yn ffroeni amdanaf, yn chwilio amdanaf.

Yna, wrth ddod o hyd i mi, mae'r nwy'n troi ac yn dod yn syth amdanaf. Dwi'n gweiddi yn fy masg nwy. "Iesu Grist! Iesu Grist!" Mae'r nwy'n dal i ddod, yn hofran dros ein weiren ni, drwy ein weiren ni, gan lyncu popeth yn ei lwybr.

Dwi'n clywed llais yr hyfforddwr yn fy mhen eto, yn ei weld yn gweiddi arnaf drwy ei fasg pan aethom ni allan ar ein hymarfer diwethaf. "Rwyt ti'n mynd i banig fan 'na, Griffiths. Mae masg nwy fel Duw, fachgen. Fe fydd e'n gwneud gwyrthiau i ti, ond mae'n rhaid i ti gael ffydd ynddo fe." Ond does gen i ddim ffydd ynddo fe! Dwi ddim yn credu mewn gwyrthiau.

Dim ond rhyw droedfedd i ffwrdd mae'r nwy nawr. Mewn eiliad bydd e arna i, o'm cwmpas, ynof i. Dwi'n mynd i'm cwrcwd gan guddio fy wyneb rhwng fy mhenliniau, a'm dwylo dros fy helmed, a gweddïo y bydd yn hofran dros fy mhen, dros ben y ffos ac yn chwilio am rywun arall. Ond dyw e ddim yn gwneud. Mae o'm cwmpas i gyd. Dwi'n dweud wrthyf fy hunan na fyddaf i'n anadlu, na chaf i anadlu. Drwy darth melyn dwi'n gweld y nwy yn llenwi'r ffos. Mae'n llithro i'r tyllau ymochel, yn ymgordeddu i bob twll a chornel, yn chwilio amdanaf. Mae'n chwilio am bob un ohonom, i'n lladd ni, bob un ohonom. Ond dwi'n dal ddim yn anadlu. Dwi'n gweld dynion yn rhedeg, yn baglu, yn cwympo. Dwi'n clywed Ifan yn gweiddi arnaf. Wedyn mae'n cydio ynof ac rydyn ni'n rhedeg. Mae'n rhaid i mi anadlu nawr. Alla i ddim rhedeg heb anadlu. A'r masg yn fy nallu braidd, dwi'n baglu a chwympo, gan fwrw fy mhen yn erbyn wal y ffos, hyd nes fy mod i'n hanner ymwybodol. Mae fy masg nwy wedi dod i ffwrdd. Dwi'n ei dynnu i lawr, ond dwi wedi anadlu i mewn a dwi'n gwybod yn barod ei bod hi'n rhy hwyr. Mae fy llygaid yn llosgi. Mae fy ysgyfaint yn llosgi. Dwi'n pesychu, yn cyfogi, yn tagu. Does dim gwahaniaeth ble dwi'n rhedeg ond i mi ddianc rhag y nwy. Dwi allan ohono. Dwi'n tynnu fy masg i ffwrdd, yn llowcio'r awyr iach. Wedyn dwi ar fy mhedwar, yn chwydu fy mherfedd. Ar ôl i'r gwaethaf ddod i ben o'r diwedd dwi'n edrych i fyny drwy lygaid pŵl llawn dagrau. Mae Almaenwr mewn masg nwy yn sefyll uwch fy mhen, a'i reiffl yn anelu at fy mhen. Does dim reiffl gen i. Dyma'r diwedd. Dwi'n ymbaratoi, ond dyw e ddim yn saethu. Mae'n gostwng ei reiffl yn araf. "Go boy," medd yr Almaenwr, gan wneud arwydd â'i reiffl y dylwn fynd. "Go, Tommy, go."

Felly drwy fympwy rhyw Almaenwr caredig ac anhysbys, llwyddais i oroesi a dianc. Yn ddiweddarach, 'nôl yn ein hysbyty maes ni, clywais ein bod wedi gwrthymosod, wedi gyrru'r Almaenwyr 'nôl ac wedi ailfeddiannu ein ffosydd ar y llinell flaen. Ond, o'r hyn y gallwn weld o'm cwmpas i gyd, bu'n rhaid talu'n ddrud. Sefais yn rhes gyda gweddill y clwyfedig i weld y meddyg. Golchodd fy llygaid allan a'u harchwilio, a gwrandawodd ar fy mrest. Er gwaethaf fy holl besychu dwedodd fy mod yn ffit. "Rwyt ti'n lwcus. Dim ond chwa o'r nwy gest ti, siŵr o fod," meddai.

Wrth i mi gerdded ymaith, dyma fi'n mynd heibio i'r lleill, y rhai nad oedd wedi bod mor lwcus. Roeddent yn gorwedd yn eu hyd yn yr haul, llawer ohonynt yn wynebau roeddwn yn eu hadnabod, ac na fyddwn byth yn eu gweld eto; ffrindiau roeddwn wedi byw gyda nhw, cellwair gyda nhw, chwarae cardiau gyda nhw, ymladd gyda nhw. Chwiliais am Ifan yn eu mysg nhw. Doedd e ddim yno. Ond roedd Siôn Bach yno, y corff olaf yn y rhes. Roedd yn gorwedd mor llonydd. Roedd sioncyn y gwair gwyrdd ar ei drowsus. Pan gyrhaeddais 'nôl i'r gwersyll gorffwys y noson honno roedd Ifan ar ei ben ei hun yn y babell. Edrychodd arnaf yn syn, fel petai wedi gweld ysbryd. Pan ddwedais wrtho am Siôn Bach roedd dagrau'n cronni yn ei lygaid, mor wahanol i'r arfer. Buon ni'n adrodd ein storïau dianc dros fŵg o de poeth melys.

Pan ddaeth yr ymosodiad nwy roedd Ifan wedi rhedeg fel fi, fel y rhan fwyaf ohonon ni, ond gyda rhai o'r lleill roedd e wedyn wedi ailffurfio yn y ffos wrth gefn, ac wedi bod yn rhan o'r gwrthymosodiad. "Rydyn ni'n dal yma, Tomi, rydyn ni'n fyw," meddai. "A dyna beth sy'n bwysig, mae'n debyg. Yn anffodus, mae Horrible-blydi-Hanley yn fyw hefyd. Ond o leiaf mae gen i ychydig o newyddion da i ti." Chwifiodd ddau lythyr ataf i. "Mae dau i ti, y diawl lwcus. Does neb gartref yn ysgrifennu ata i. Dim syndod, mae'n debyg, achos dydyn nhw ddim yn gallu ysgrifennu, ydyn nhw? Wel, mae fy chwaer yn gallu, ond does dim Cymraeg rhyngon ni, ddim rhagor. Hei, Tomi, fe gei di ddarllen dy rai di'n uchel i mi ac wedyn galla i esgus eu bod nhw wedi ysgrifennu ata i hefyd. Dere, Tomi.

Dwi'n gwrando." Gorweddodd 'nôl, rhoi ei ddwylo o dan ei ben a chau ei lygaid. Doedd dim llawer o ddewis gyda fi.

Maen nhw i gyd gyda fi nawr, fy llythyrau olaf un o gartref. Ceisiais gadw'r lleill i gyd, ond aeth rhai ar goll ac roedd rhai eraill wedi'u gwlychu mor aml fel ei bod hi'n amhosibl eu darllen ac roedd yn rhaid i mi eu taflu. Ond dwi wedi gofalu am y rhain yn ofalus dros ben achos bod pawb dwi'n ei garu ynddyn nhw. Dwi'n eu cadw nhw mewn papur cwyr yn fy mhoced, yn agos at fy nghalon. Dwi wedi eu darllen nhw dro ar ôl tro, a phob tro dwi'n gallu clywed eu lleisiau yn y geiriau, gweld eu hwynebau yn yr ysgrifen. Dwi eisiau eu darllen nhw'n uchel eto nawr, yn union fel y darllenais nhw i Ifan y tro cyntaf hwnnw yn y babell. Yn gyntaf, llythyr Mam achos dyna'r llythyr a ddarllenais i gyntaf y pryd hwnnw.

Fy annwyl Fab,

Gobeithio dy fod yn iach. Mae gen i newydd da iawn i'w adrodd i ti. Ddydd Llun diwethaf, yn y bore bach, ganwyd bachgen bach i Mair. Yn naturiol, rydym i gyd wrth ein bodd. Gelli di ddychmygu ein syndod a'n llawenydd hefyd pan atebais gnoc ar y drws lai nag wythnos yn ddiweddarach a gweld dy frawd Wil yno'n sefyll. Mae'n edrych yn deneuach nag oedd ac yn llawer henach hefyd. Dwi ddim yn meddwl ei fod wedi bod yn bwyta digon a dwi wedi dweud wrtho fod yn rhaid iddo wneud o hyn ymlaen. Mae e'n dweud eich bod chi'n cael amser da gyda'ch gilydd draw yng ngwlad Belg er gwaethaf popeth rydyn ni'n ei ddarllen yn y papurau. Mae pawb dwi'n ei weld yn y pentref yn holi amdanat, hyd yn oed dy hen fodryb. Hi oedd y cyntaf i ddod i weld y babi. Dywedodd hi, er ei fod yn olygus, fod ei glustiau braidd yn hir – dyw hynny ddim yn wir wrth gwrs, ac ypsetiodd Mair yn fawr. Pam mae hi wastad yn dweud pethau mor gas? O ran y Cyrnol, petaem ni'n credu popeth mae e'n ei ddweud, gallai ennill y rhyfel yma ar ei ben ei hun. Roedd dy dad yn dweud calon y gwir amdano.

Mae llawer o bethau wedi newid yn y pentref, ac nid er gwell chwaith. Mae mwy a mwy o'n dynion ifanc yn mynd i listio drwy'r amser. Prin fod digon o ddynion ar ôl i weithio ar y tir. Mae'r cloddiau heb eu torri a llawer o gaeau'n cael eu gadael yn fraenar. Mae'n flin gen i ddweud bod Elfed a Margaret Powell wedi cael newyddion mis diwethaf na fydd Gwilym yn dod adref. Mae'n debyg iddo farw o'i glwyfau yn Ffrainc.

Ond mae ymweliad byr Wil a genedigaeth y babi wedi ein llonni ni i gyd. Mae Wil yn dweud wrthym y bydd ymosodiad mawr arall cyn hir ac wedyn y bydd y rhyfel wedi'i ennill ac ar ben. Rydyn ni'n gweddïo ei fod yn iawn. Annwyl fab, hyd yn oed gyda Wil gartref, gyda Sam Mawr a Mair a'r baban newydd, mae'r cartref bach hwn yn teimlo'n wag achos nad wyt ti gyda ni. Tyrd adre'n ddiogel, ac yn fuan.

Dy annwyl fam.

Ac roedd ôl bys Sam Mawr mewn inc ar waelod y dudalen fel arfer, a'i enw ar ei bwys mewn ysgrifen fawr fel traed brain.

"Felly dyna ry'n ni'n ei gael, ie?" meddai Ifan yn sydyn ac yn gas. "Amser da. Pam mae'n dweud hynny wrthyn nhw? Pam nad yw e'n dweud wrthyn nhw fel mae hi go iawn yma, ei bod hi'n llanast llwyr yma, bod dynion da, miloedd ohonyn nhw, yn marw dros ddim byd – dros ddim byd! Fe ddweda i wrthyn nhw. Rho hanner cyfle i mi ac fe ddweda i wrthyn nhw. Y dynion 'na fuodd farw heddiw, oedden nhw'n cael amser da? Oedden nhw?" Doeddwn i erioed wedi gweld Ifan yn gynddeiriog fel hyn o'r blaen. Fe oedd yr un oedd yn cellwair, y tynnwr coes, yr un oedd bob amser yn chwarae'r ffŵl. Rholiodd ar ei ochr a'i gefn ataf a siaradodd e ddim eto.

Felly darllenais y llythyr nesaf i mi fy hunan. Llythyr oddi wrth Wil oedd e, y rhan fwyaf ohono beth bynnag. Yn wahanol i Mam roedd e wedi gwneud llawer o gamgymeriadau ac wedi croesi allan, felly roedd ei lythyr yn llawer mwy anodd ei ddarllen.

Annwyl Preifat Griffiths,

Dwi gartref eto fel y gweli di, Tomi. Gwell hwyr na hwyrach ys dywedon nhw. Dwi'n dad balch, ac rwyt ti'n ewythr balch, i'r bachgen bach mwyaf golygus a welaist erioed. Trueni nad wyt ti'n gallu ei weld e. Ond fe wnei di, a chyn hir gobeithio. Mae Mair yn dweud ei fod hyd yn oed yn fwy golygus na'i dad, a dw innau'n hollol si˜r nad yw hynny'n wir. Mae Sam Mawr yn eistedd gyda fe pan fydd yn cysgu, fel roedd yn arfer gwneud gyda Meg. Mae e'n poeni y byddaf yn mynd i ffwrdd eto cyn hir, fel y byddaf wrth gwrs. Dyw e ddim yn deall – sut gall e? – ble rydyn ni wedi bod na beth rydyn ni wedi bod yn ei wneud. A byddai'n well gen i beidio â dweud wrtho. Byddai'n well gen i beidio â dweud wrth neb.

Ar ôl i mi ddod allan o'r ysbyty llwyddais i gael tridiau o wyliau'n unig, a dim ond diwrnod sydd ar ôl. Fe wnaf y defnydd gorau ohono. Yn olaf, dylet wybod ein bod ni i gyd wedi penderfynu mai Tomi fydd enw'r un bach. Bob tro rydyn ni'n dweud ei enw mae'n gwneud i mi feddwl dy fod ti yma gyda ni, fel y byddem ni i gyd yn dymuno. Mae Mair wedi dweud ei bod hi eisiau ysgrifennu pwt hefyd, felly fe wna i gau pen y mwdwl nawr. Cwyd dy galon.

Dy frawd Wil, neu'r Preifat Griffiths arall.

Annwyl Tomi,

Ysgrifennaf i roi gwybod fy mod wedi dweud wrth Tomi bach am ei ewythr dewr, ac fel y byddwn ni i gyd gyda'n gilydd unwaith eto pan fydd y rhyfel erchyll yma ar ben. Mae dy lygaid glas di ganddo, gwallt tywyll Wil a gwên lydan Sam Mawr. Oherwydd hyn i gyd dwi'n ei garu'n fwy nag y gallaf ddweud.

Cofion, Mair

Cadwais y ddau lythyr yma gyda fi gan eu darllen a'u hailddarllen hyd nes fy mod bron yn eu gwybod ar fy nghof. Cadwon nhw fi i fynd yn ystod y dyddiau nesaf. Ohonynt, cefais obaith y byddai Wil yn dychwelyd, a'r nerth roedd ei angen arnaf i'm hatal fy hunan rhag mynd yn ddwl.

Gallem ni fod wedi meddwl, yn sicr roeddem ni wedi gobeithio, y byddai Sarsiant Hanley'n gadael llonydd i ni nawr ac yn caniatáu i ni orffwys cyn mynd 'nôl i fyny i'r llinell. Ond daethom ni i wybod rhywbeth y dylem fod wedi'i wybod yn barod, sef nad oedd hyn yn rhan o'i natur. Dywedodd ein bod wedi codi cywilydd ar y gatrawd, ein bod wedi ymddwyn fel llwfrgwn pan ddaeth yr ymosodiad nwy, ac roedd yn benderfynol y byddem yn magu mwy o asgwrn cefn. Felly bu Hanley yn ein cadw ni wrthi'n brysur bob bore, prynhawn a nos, ddydd ar ôl dydd. Archwilio, hyfforddi, drilio, ymarfer, a rhagor o archwilio. Bu'n ein gyrru'n ddidostur, nes ein bod ni'n anobeithio ac wedi ymlâdd. Ar ôl cael ei ddal yn cysgu un noson wrth wylio, cafodd Phillip Protheroe, mab y dafarn ym Mwlchcastell, un o'r recriwtiaid newydd, yr un driniaeth â Wil o'i flaen, sef 'Field Punishment Number One'. Cafodd ei glymu wrth olwyn y gwn ym mhob tywydd am ddyddiau bwygilydd. Doedd dim hawl gyda ni i siarad ag ef hyd yn oed, na mynd â dŵr ato, fel y digwyddodd gyda Wil yn Etaples.

Dyna'r dyddiau duaf roeddem erioed wedi byw drwyddynt. Roedd Sarsiant Hanley wedi gwneud rhywbeth na lwyddodd holl galedi'r ffosydd i'w wneud. Roedd wedi dwyn ein hysbryd, ac wedi sugno gweddill ein nerth; wedi chwalu ein gobaith. Fwy nag unwaith wrth i mi orwedd yno yn fy mhabell gyda'r nos, bûm yn meddwl am ffoi, am redeg at Anna yn Pop a gofyn iddi fy nghuddio i, i'm helpu i ddod o hyd i ffordd 'nôl i Gymru. Ond pan ddaeth y bore, roedd hyd yn oed fy newrder i fod yn llwfrgi wedi diflannu. Arhosais bob tro oherwydd fy mod yn rhy lwfr i fynd, oherwydd na allwn adael Ifan a'r lleill, a pheidio â bod yno pan fyddai Wil yn dod 'nôl. Ac arhosais, brefu yno, ond doedd dim ceffyl i'w weld, a dim golwg o Anna. Dim ond wedyn y meddyliais am fynd 'nôl a churo ar y drws cefn. Magais ddigon o blwc. Roedd yn rhaid i mi guro'n uchel i rywun glywed o achos yr holl sŵn oedd yn dod o'r *estaminet*. Agorodd y drws yn araf, a'i thad oedd yno, nid yn olygus ac yn gwenu fel roeddwn wedi'i adnabod erioed, ond yn gwisgo crys a bresys, heb eillio ac yn edrych yn anniben. Roedd ganddo botel yn ei law ac roedd ôl diod yn drwm ar ei wyneb. Doedd e ddim yn falch o'm gweld.

"Anna?" gofynnais. "Ydy Anna yma?"

"Nac ydy," atebodd. "Dyw Anna ddim yma. Fydd Anna byth yma eto. Mae Anna wedi marw. Wyt ti'n clywed, Tommy? Ry'ch chi'n dod yma ac yn ymladd eich rhyfel yma yn fy ngwlad i. Pam? Dwed wrtha i. Pam?"

"Beth ddigwyddodd?" gofynnais iddo.

"Beth ddigwyddodd? Fe ddweda i wrthot ti beth ddigwyddodd. Ddeuddydd yn ôl anfonais Anna i nôl yr wyau. Roedd hi'n gyrru'r cert adref ar hyd y ffordd ac o rywle daeth sièl, sièl fawr o gyfeiriad yr Almaenwyr. Dim ond un, ond mae un yn ddigon. Dwi wedi'i chladdu hi heddiw. Felly os wyt ti eisiau gweld fy Anna i, Tommy, cer i'r fynwent. Wedyn fe allwch chi i gyd fynd i Uffern, y Prydeinwyr, yr Almaenwyr, y Ffrancod, dim ots gyda fi. Ac fe allwch chi fynd â'ch rhyfel gyda chi i Uffern hefyd, fe fyddan nhw'n hoffi'r rhyfel yno. Gad lonydd i mi, Tommy, gad lonydd i mi."

Cafodd y drws ei gau'n glep yn fy wyneb.

Roedd sawl bedd newydd ei dorri yn y fynwent, ond dim ond un oedd newydd gael ei dorri a'i orchuddio â blodau ffres. Dim ond drwy ychydig o eiriau hwyliog, drwy'r golau yn ei llygaid, drwy ein dwylo'n cyffwrdd a chusan sydyn roeddwn wedi adnabod Anna, ond teimlwn boen y tu mewn i mi nad oeddwn wedi'i deimlo ers pan oeddwn i'n blentyn, ers i Tada farw. Edrychais i fyny ar dŵr yr eglwys, saeth dywyll yn pwyntio at y lleuad a thu hwnt, a cheisiais gredu â'm holl galon a'm holl feddwl ei bod hi i fyny fry yno yn rhywle yn yr ehangder diddiwedd, i fyny yno yn Nefoedd yr ysgol Sul, yn Nefoedd lawen Sam Mawr. Allwn i yn fy myw â chredu hynny. Gwyddwn ei bod hi'n gorwedd yn y ddaear oer wrth fy nhraed. Penliniais a chusanu'r ddaear, yna gadewais hi yno. Roedd y lleuad yn hwylio uwch fy mhen, yn fy nilyn drwy'r coed, gan oleuo fy ffordd 'nôl i'r gwersyll. Erbyn i mi gyrraedd yno doedd dim dagrau gen i ar ôl i'w llefain.

Y noson ganlynol roeddem ni'n martsio i fyny i'r ffosydd eto gyda channoedd o rai eraill, i gryfhau'r llinell medden nhw wrthym ni. Dim ond un peth y gallai hynny ei olygu: roedden nhw'n disgwyl ymosodiad a byddem ni mewn helynt mawr. Fel y digwyddodd hi, rhoddodd yr Almaenwyr rai diwrnodau o ras i ni – ddaeth yr ymosodiad ddim, dim eto.

Wil ddaeth yn lle hynny, gan gerdded yn hamddenol i'n twll ymochel ni fel petai wedi bod allan am ddim mwy na phum munud. "Prynhawn da, Tomi. Prynhawn da, bawb," meddai, yn wên o glust i glust. Cododd ein calonnau o'i weld. Gyda

Sarsiant Hanley yn dal i gadw ein trwynau ar y maen, bob amser yn llechu yn rhywle, roedd ein harwr wedi dod ’nôl, yr unig un ohonom a oedd erioed wedi ei herio. Ac o’m rhan fy hunan, roedd fy ngwarcheidwad wedi dychwelyd, fy mrawd a’m ffrind gorau. Fel pawb arall roeddwn i’n teimlo’n saffach yn sydyn.

Roeddwn i yno pan ddaeth Sarsiant Hanley a Wil wyneb yn wyneb yn y ffos. “Dyna syrpreis bach neis, Sarsiant,” meddai Wil yn hapus. “Ro’n i’n clywed eich bod chi wedi ymuno â ni.”

“Ac ro’n i’n clywed dy fod ti wedi bod yn osgoi gwaith, Griffiths,” chwyrnodd Hanley. “Dwi ddim yn hoffi’r rhai sy’n osgoi gwaith. Dwi’n cadw llygad barcut arnat ti, Griffiths. Rwyt ti’n creu helynt, wedi gwneud hynny erioed. Dwi’n dy rybuddio di, un cam gwag …”

“Peidiwch â phoeni nawr, Sarsiant,” meddai Wil. “Fe fydda i’n fachgen bach da. Cris croes tân poeth.”

Edrychodd y sarsiant wedi drysu, ac yna’n wyllt gacwn.

“Ry’n ni’n cael tywydd bach braf, Sarsiant,” aeth Wil yn ei flaen. “Mae hi’n bwrw glaw ’nôl gartref, wyddoch chi, fel hen wragedd a ffyn.” Gwthiodd Hanley heibio iddo, yn siarad dan ei wynt wrth fynd. Buddugoliaeth fechan iawn oedd hi, ond cafodd pob un ohonom oedd yn dyst iddi ein llonni’n fawr.

Y noson honno eisteddai Wil a minnau’n yfed te yng ngolau lamp ac yn siarad yn dawel â’n gilydd am y tro cyntaf. Roeddwn i’n llawn cwestiynau am bawb gartref, ond roedd e fel petai'n gyndyn o sôn llawer amdanynt. Synnwn braidd at hyn, wedi fy mrifo hyd yn oed, tan iddo sylweddoli hynny ac egluro pam.

"Mae hi fel petaen ni'n byw dau fywyd gwahanol mewn dau fyd gwahanol, Tomi, ac fel yna dwi eisiau cadw pethau. Dwi byth eisiau i'r naill gyffwrdd â'r llall. Doeddwn i ddim eisiau mynd â 'horrible Hanley' a'r gynnau mawr adref, oeddwn i? Ac i mi mae'r un peth yn wir i'r gwrthwyneb. Gartref yw gartref. Fan hyn yw fan hyn. Mae'n anodd egluro, ond dyw Tomi bach a Mair, Mam a Sam Mawr, dydyn nhw ddim yn perthyn i'r uffern yma, ydyn nhw? Drwy siarad amdanyn nhw dwi'n dod â nhw yma, a dwi ddim eisiau gwneud hynny. Wyt ti'n deall, Tomi?"

Ac roeddwn i'n deall.

Rydyn ni'n clywed y sièl yn dod ac yn gwybod wrth ei sgrech y bydd hi'n agos, ac mae hi hefyd. Mae'r ffrwydrad yn ein taflu ni i gyd i'r llawr, gan ddiffodd ein lampau a'n gollwng ni i dywyllwch drewllyd. Dyna'r sièl gyntaf o filoedd. Mae ein gynnau ni'n ateb bron ar unwaith, ac o hynny ymlaen mae'r ornest enfawr bron yn ddi-baid wrth i'r byd ffrwydro uwch ein pennau ni, a'r rhuo a'r taranu'n ein taro'n ddidrugaredd, drwy'r dydd, drwy'r nos. Pan fydd y gynnau'n tawelu, mae'n fwy creulon fyth, oherwydd mae'n rhoi gobaith gwan i ni y gallai'r cyfan fod ar ben, ond caiff y gobaith hwnnw ei gipio i ffwrdd funudau'n ddiweddarach.

I ddechrau rydyn ni'n closio at ein gilydd yn y twll ymochel ac yn ceisio esgus nad oes dim yn digwydd, a hyd yn oed os yw'n digwydd, fod y twll ymochel yn ddigon dwfn i'n hachub ni. Rydyn ni i gyd yn gwybod yn y bôn y byddai ergyd uniongyrchol yn ddigon amdanom ni i gyd. Rydyn ni'n sylweddoli ac yn derbyn hynny. Mae'n well gennym beidio â meddwl am y peth, a pheidio â siarad am y peth yn sicr. Rydyn ni'n yfed ein te, yn ysmygu ein Woodbines, yn bwyta pan ddaw'r bwyd – nad yw'n dod yn aml – ac yn dal ati i fyw gystal ag y gallwn ni, mor normal ag y gallwn ni.

Mae'n anodd credu, ond ar yr ail ddiwrnod mae'r ymosodiad yn gwaethygu. Mae fel petai pob gwn trwm sydd gan yr Almaenwyr yn anelu at ein sector ni. Daw eiliad pan fydd darnau olaf yr ofn y mae'n bosib ei reoli'n troi'n ddychryn, yn ddychryn y mae'n amhosibl ei guddio mwyach. Dwi'n sylweddoli 'mod i'n belen ar lawr ac yn sgrechian ar i'r cyfan orffen. Wedyn dwi'n teimlo Wil yn gorwedd wrth fy ymyl, yn ei lapio ei hunan o'm cwmpas i'm gwarchod, i'm cysuro. Mae'n dechrau canu *Si-so, jac-y-do* yn dawel yn fy nghlust, a chyn hir dw innau'n canu gydag e, yn uchel hefyd, yn canu yn lle sgrechian. Cyn hir ry'n ni'n clywed lleisiau Cymry eraill yn y twll ymochel yn canu gyda ni. Ond mae'r sieliau'n dal i ddod o hyd ac o hyd, nes yn y diwedd ni all Wil na *Si-so, jac-y-do* gael gwared ar y braw sy'n fy nhraflyncu a'm goresgyn. Caiff pob llygedyn olaf o ddewrder a phwyll sydd gennyf eu diffodd. Ofn yw'r cyfan sydd ar ôl nawr.

Pan ddaw eu hymosodiad nhw, yng ngolau perlog y wawr,

mae e'n methu hyd yn oed cyn iddo ddod yn agos at ein weiren ni. Mae ein gynnau peiriant ni'n sicrhau hynny, gan eu bwrw i lawr fel miloedd o geilys llwyd na fydd byth yn codi eto. Mae fy nwylo'n crynu cymaint fel mai prin y gallaf ail-lenwi fy reiffl. Ar ôl iddyn nhw gilio a throi a rhedeg, rydyn ni'n aros am y chwiban ac yna'n mynd allan dros y top. Dwi'n mynd oherwydd bod y lleill yn mynd, gan symud ymlaen fel petawn mewn breuddwyd, fel petawn y tu allan i'm corff yn llwyr. Yn sydyn dwi'n sylweddoli 'mod i ar fy mhengliniau a dwi ddim yn gwybod pam. Mae gwaed yn pistyllio i lawr fy wyneb, ac mae poen llosgi sydyn mor erchyll yn hollti fy mhen nes 'mod i'n teimlo y bydd yn ffrwydro. Dwi'n teimlo fy hun yn cwympo allan o'm breuddwyd i lawr i fyd sy'n drobwll o dywyllwch. Dwi'n cael fy hudo i fyd na fûm iddo o'r blaen lle mae'r cynhesrwydd a'r cysur yn lapio'n dynn amdanaf. Dwi'n gwybod fy mod i'n marw fy marwolaeth fy hun, a dwi'n ei groesawu.

rhaid bod hyn yn golygu nad ydw i wedi marw. Dwi ddim yn dychryn ar y dechrau wrth sylweddoli mai tywyllwch yn unig sydd i'w weld, achos dwi'n cofio'n syth fy mod wedi cael fy anafu – dwi'n dal i deimlo'r pwnio yn fy mhen. Mae'n rhaid ei bod hi wedi nosi a minnau'n gorwedd wedi fy anafu yn rhywle yn nhir neb, yn edrych i fyny i dywyllwch y nos. Ond wedyn dwi'n ceisio symud fy mhen fymryn ac mae'r tywyllwch yn dechrau chwalu ac yn cwympo arnaf, yn llenwi fy ngheg, fy llygaid, fy nghlustiau. Nid ar yr awyr dwi'n edrych, ond ar bridd. Dwi'n teimlo ei bwysau nawr, yn gwasgu ar fy mrest. Dwi'n methu symud fy ngoesau na'm breichiau. Dim ond fy mysedd. Yn araf dwi'n dechrau sylweddoli a deall fy mod i wedi cael fy nghladdu, fy nghladdu'n fyw, ond wedyn yn sydyn dwi'n mynd i banig. Rhaid eu bod nhw wedi meddwl fy mod i wedi marw, a'u bod wedi fy nghladdu, ond dwi ddim yn farw. Dwi ddim! Dwi'n sgrechian wedyn, ac mae'r pridd yn llenwi fy ngheg ac yn fy nhagu. Mae fy mysedd yn crafu, yn crafangu'r pridd yn wyllt, ond dwi'n mogi ac ni allant fy helpu. Dwi'n ceisio meddwl, er mwyn pwyllo, er mwyn ceisio gorwedd yn llonydd, i'm gorfodi fy hunan i geisio anadlu drwy fy nhrwyn. Ond does dim awyr i'w anadlu. Dwi'n meddwl am Mair wedyn ac yn penderfynu ei chadw yn fy mhen hyd yr eiliad pan fyddaf farw.

Dwi'n teimlo llaw ar fy nghoes. Mae rhywun yn cydio yn un o'm traed, ac yna yn y llall. O'r pellter dwi'n credu fy mod i'n clywed llais, a dwi'n gwybod mai llais Wil sydd yno. Mae'n galw arnaf i ddal fy ngafael. Maen nhw'n palu amdanaf, yn tynnu arnaf, yn fy llusgo allan i'r golau dydd hyfryd, i'r awyr hyfryd. Dwi'n llowcio'r awyr fel dŵr, yn tagu arno, yn pesychu arno, ac yna o'r diwedd gallaf anadlu ynddo.

Y peth nesaf, dwi'n eistedd yn ddwfn mewn rhywbeth sy'n edrych fel olion twll ymochel concrit, yn llawn dynion sydd wedi ymlâdd, a dwi'n adnabod pob wyneb. Mae Ifan yn dod i lawr y grisiau. Mae'n ymladd am ei wynt fel fi. Mae Wil yn dal i arllwys y diferion olaf o'i botel ddŵr ar fy wyneb, yn ceisio fy molchi. "Ro'n i'n meddwl ein bod ni wedi dy golli di, Tomi," medd Wil. "Fe lwyddodd yr un sièl a'th gladdodd di i ladd hanner dwsin ohonon ni. Roeddet ti'n lwcus. Mae tipyn o olwg ar dy ben di. Gorwedd yn llonydd, Tomi. Rwyt ti wedi colli llawer o waed." Dwi'n crynu nawr. Dwi'n teimlo'n oer drosof ac yn wan fel blewyn.

Mae Ifan yn ei gwrcwd yn ein hymyl nawr, a'i dalcen yn pwyso yn erbyn ei reiffl. "Mae hi'n uffernol mas 'na," medd ef. "Rydyn ni'n cwympo fel pryfed, Wil. Maen nhw wedi ein hoelio ni fan hyn, a gynnau peiriant ar dair ochr. Os ei di mas fan 'na, fe fyddi di'n ei chael hi."

"Ble rydyn ni?" gofynnaf.

"Yng nghanol tir blydi neb, dyna ble, yn un o hen dyllau ymochel yr Almaenwyr," ateba Ifan. "Allwn ni ddim mynd yn ein blaenau, nac am 'nôl chwaith."

"Mae'n well i ni aros lle rydyn ni am ychydig, felly," medd Wil.

Dwi'n edrych i fyny ac yn gweld Sarsiant Hanley yn sefyll

uwch ein pennau, ei reiffl yn ei law ac yn gweiddi arnom. "Aros lle rydyn ni? Aros lle rydyn ni? Gwranda di arna i, Griffiths. Fi sy'n rhoi'r gorchmynion fan hyn. Pan dwi'n dweud ein bod ni'n mynd, rydyn ni'n mynd. Wyt ti'n deall?"

Mae Wil yn edrych i fyw ei lygaid yn herfeiddiol agored heb edrych draw, yn union fel byddai'n ei wneud gyda Mr Morris yn yr ysgol pan gâi bryd o dafod.

"Yn syth wedi i mi roi'r gorchymyn," aiff y sarsiant yn ei flaen, gan siarad â phawb yn y twll ymochel nawr, "rydyn ni'n mynd amdani, a dwi'n golygu pob un ohonon ni. Neb i oedi nac aros ar ôl – hynny yw, ti, Griffiths. Rydyn ni i fod i ymosod i'r eithaf ac yna dal ein tir. Dim ond rhyw hanner can llath sydd at ffosydd yr Almaenwyr. Fe gyrhaeddwn ni yno'n rhwydd."

Dwi'n aros tan i'r sarsiant symud i ffwrdd, fel na all glywed. "Wil," sibrydaf, "dwi ddim yn meddwl y galla i fynd. Dwi ddim yn credu y galla i sefyll ar fy nhraed."

"Popeth yn iawn," medd ef, ac mae gwên sydyn yn goleuo ei wyneb. "Mae golwg uffernol arnat ti, Tomi. Yn waed a llaid i gyd, a dau lygad bach gwyn yn syllu. Paid â phoeni, fe arhoswn ni gyda'n gilydd, waeth beth fydd yn digwydd. Dyna wnaethon ni erioed, yntê?"

Mae'r sarsiant yn aros am funud neu ddwy ger agoriad y twll ymochel nes bod y tanio y tu allan wedi tawelu. "O'r gorau," medd ef. "Dyma ni. Rydyn ni'n mynd allan. Gwnewch yn siŵr bod eich reiffl chi'n llawn ac un fwled yn barod i'w thanio. Pawb yn barod? Ar eich traed. I ffwrdd â ni." Does neb yn symud. Mae'r dynion yn edrych ar ei gilydd, yn oedi. "Diawl erioed, beth sy'n bod arnoch chi? Ar eich traed, damia chi! Ar eich traed!"

Yna mae Wil yn dechrau siarad, yn dawel iawn. "Dwi'n credu eu bod nhw'n meddwl yr un peth â fi, Sarsiant. Os ewch chi â ni allan yno nawr, fe fydd eu gynnau peiriant nhw'n ein saethu ni'n farw. Maen nhw wedi ein gweld ni'n mynd i mewn fan hyn, ac fe fyddan nhw'n aros i ni ddod allan. Dydyn nhw ddim yn dwp. Efallai y dylen ni aros yma, ac yna mynd 'nôl ar ôl iddi nosi. Does dim pwynt mynd allan fan'na a chael ein lladd yn ofer, oes e, Sarsiant?"

"Wyt ti'n anufuddhau i'm gorchymyn, Griffiths?" Mae'r sarsiant yn gweiddi fel ynfytyn nawr.

"Nac ydw, dim ond dweud fy marn ydw i," ateba Wil. "Ein barn ni i gyd."

"A dwi'n dweud wrthot ti, Griffiths, os na ddoi di gyda ni pan awn ni, nad cosb fechan fydd hi'r tro yma. Fe fyddi di o flaen y cwrt-marsial. A'r fintai saethu. Wyt ti'n fy nghlywed i, Griffiths? Wyt ti'n fy nghlywed i?"

"Ydw, Sarsiant," medd Wil. "Dwi'n eich clywed chi. Ond y peth yw, Sarsiant, hyd yn oed petawn i eisiau, alla i ddim dod gyda chi achos fe fyddai'n rhaid i mi adael Tomi ar ôl, ac alla i ddim gwneud hynny. Fel y gwelwch chi, Sarsiant, mae e wedi cael ei anafu. Prin y gall e gerdded, heb sôn am redeg. Wnaf i mo'i adael e. Fe fydda i'n aros gyda fe. Peidiwch â phoeni amdanom ni, Sarsiant, fe wnawn ni ein ffordd 'nôl wedyn pan fydd hi'n nosi. Fe fyddwn ni'n iawn."

"Y llyngyryn bach diflas â ti, Griffiths." Mae'r sarsiant yn bygwth Wil â'i reiffl nawr, a'r fidog fodfeddi o drwyn Wil, yn crynu gan gynddaredd. "Fe ddylwn i dy saethu di nawr yn y fan a'r lle ac arbed trafferth i'r fintai saethu." Am eiliad fer, mae'n edrych fel petai'r sarsiant yn mynd i wneud hynny hefyd, ond wedyn mae'n pwyllo ac yn troi ymaith. "Dewch bawb, codwch ar eich traed. Ar fy ngair, dwi eisiau i chi ddynion fynd mas 'na. Peidied neb â chymryd ei dwyllo, o flaen y cwrt-marsial y bydd unrhyw un sy'n aros ar ôl."

Fesul un mae'r dynion yn codi'n anfoddog ar eu traed, pob un yn ymbaratoi yn ei ffordd ei hun, yn tynnu ar sigarét am y tro olaf, yn rhoi gweddi dawel, â'u llygaid ynghau.

"Ewch! Ewch! Ewch!" Mae'r sarsiant yn sgrechian, ac i ffwrdd â nhw, yn llamu dros risiau'r twll ymochel ac yn rhuthro allan i'r awyr agored. Dwi'n clywed gynnau peiriant yr Almaenwyr yn dechrau tanio eto. Ifan yw'r olaf i adael y twll ymochel. Mae'n oedi ar y gris ac yn edrych 'nôl lawr arnom ni. "Fe ddylet ti ddod, Wil," medd ef. "Mae e o ddifrif. Mae'r diawl o ddifrif, dwi'n addo i ti."

"Dwi'n gwybod hynny," medd Wil. "A dw innau o ddifrif hefyd. Pob lwc, Ifan. Cadwa dy ben i lawr."

Yna mae Ifan wedi mynd a ninnau ar ein pennau ein hunain yn y twll ymochel. Does dim angen i ni ddychmygu'r hyn sy'n digwydd allan yna. Gallwn glywed y cyfan, sgrechiadau'n cael eu torri'n fyr, rhoch angau'r gynnau peiriant, stacato'r reifflau'n tanio ac yn eu lladd fesul un. Yna mae popeth yn tawelu a ninnau'n aros. Dwi'n edrych draw at Wil. Mae dagrau yn ei lygaid. "Druan ohonyn nhw," medd ef. "Druan ohonyn nhw." Ac yna: "Dwi'n credu fy mod i wedi'i gwneud hi go iawn y tro yma, Tomi."

"Efallai na ddaw'r sarsiant 'nôl," meddaf wrtho.

"Gad i ni obeithio hynny," medd Wil. "Gad i ni obeithio hynny."

Mae'n rhaid fy mod wedi bod yn hofran rhwng bod yn ymwybodol ac anymwybodol wedi hynny. Bob tro roeddwn i'n dihuno gallwn weld bod un neu ddau arall wedi llwyddo i ddychwelyd i'r twll ymochel, ond doedd dim sôn am Sarsiant Hanley o hyd. Roeddwn i'n dal i obeithio. Wedyn dihunais a sylweddoli fy mod yn gorwedd â braich Wil amdanaf, a'm pen yn gorffwyso ar ei ysgwydd.

"Tomi? Tomi?" meddai. "Wyt ti ar ddihun?"

"Ydw," meddwn i.

"Gwranda Tomi, dwi wedi bod yn meddwl. Os digwydd y gwaethaf – "

"Fydd e ddim yn digwydd," torrais ar ei draws.

"Gwranda, Tomi, wnei di? Dwi eisiau i ti addo y byddi di'n gofalu am bethau drosto i. Wyt ti'n deall yr hyn dwi'n ei ddweud wrthot ti? Wyt ti'n addo?"

"Ydw," meddwn i.

Wedyn ar ôl tawelwch hir aeth yn ei flaen: "Rwyt ti'n dal

i'w charu hi, on'd wyt ti? Rwyt ti'n dal i garu Mair?" Roedd fy nhawelwch yn ddigon. Roedd e'n gwybod. "Da iawn," meddai Wil. "Ac mae rhywbeth arall dwi eisiau i ti ofalu amdano hefyd." Cododd ei fraich oddi amdanaf, tynnu ei wats, a'i rhoi ar fy arddwrn. "Dyna ti, Tomi. Mae hon yn wats wych. Dyw hi erioed wedi stopio, ddim erioed. Paid â'i cholli hi." Wyddwn i ddim beth i'w wneud. "Nawr fe gei di fynd i gysgu eto," meddai.

Ac wrth gysgu breuddwydiais hunllef fy mhlentyndod eto, gyda bys Tada'n pwyntio ataf, ac addewais i mi fy hunan hyd yn oed wrth freuddwydio y byddwn, ar ôl dihuno, yn dweud wrth Wil o'r diwedd beth wnes i yn y goedwig honno, yr holl flynyddoedd 'nôl.

Agorais fy llygaid. Roedd Sarsiant Hanley'n eistedd ym mhen draw'r twll ymochel, yn gwgu arnom o dan ei helmed. Wrth i ni aros i unrhyw rai eraill ddod i mewn ac iddi nosi, eisteddodd y sarsiant yno heb yngan gair arall wrth Wil na neb, dim ond rhythu'n ddiddiwedd ar Wil. Roedd casineb oer yn ei lygaid.

Erbyn iddi nosi doedd dim golwg o hyd o Ifan, na chwaith o ddwsin o rai eraill a oedd wedi mynd allan gyda'r sarsiant i ymuno â'r ymosodiad ofer hwnnw. Penderfynodd y sarsiant ei bod hi'n amser mynd. Felly, yn nhywyllwch y nos, fesul dau a thri, aeth gweddill y cwmni ar eu pedwar 'nôl i'n ffosydd ar draws tir neb, gyda Wil yn fy hanner llusgo, hanner cario'r holl ffordd. Oddi ar fy stretsier yng ngwaelod y ffos, edrychais i fyny a gweld Wil yn cael ei arestio a'i gludo ymaith. Digwyddodd popeth mor gyflym wedi hynny. Doedd dim amser i ffarwelio. Dim ond ar ôl iddo fynd y cofiais fy mreuddwyd unwaith eto a'r addewid wnes i ynddi, addewid nad oeddwn wedi'i chadw.

Ches i mo'i weld e eto am chwe wythnos arall, ac erbyn hynny roedd y cwrt-marsial ar ben, y gosb eithaf wedi'i dyfarnu ac wedi'i chadarnhau. Dyna'r cyfan wyddwn i, a phawb arall. Wyddwn i ddim sut roedd popeth wedi digwydd tan ddoe, pan gefais ei weld o'r diwedd. Roedden nhw'n ei ddal yng Ngwersyll Walker. Dwedodd y gwarchodwr y tu allan ei bod hi'n ddrwg ganddo, ond mai dim ond ugain munud oedd gen i. Dyna'r gorchymyn, meddai.

Stabl yw e – ac mae'n dal i ddrewi fel stabl – gyda bwrdd a dwy gadair, bwced yn y gornel, a gwely ar hyd un wal. Mae Wil yn gorwedd ar ei gefn, ei ddwylo o dan ei ben, a'i goesau wedi'u croesi. Mae'n codi ar ei eistedd yn syth wrth fy ngweld, ac yn gwenu o glust i glust. "Ro'n i'n gobeithio y byddet ti'n dod, Tomi," meddai. "Do'n i ddim yn meddwl y bydden nhw'n gadael i ti. Sut mae dy ben di? Popeth wedi gwella?"

"Fel newydd," meddaf wrtho, gan geisio ymateb yn hwyliog fel fe. Ac yna rydyn ni'n sefyll yno'n cofleidio ein gilydd, ac alla i ddim atal y dagrau.

"Dwi ddim eisiau dagrau, Tomi," mae'n sibrwd yn fy nghlust. "Mae hyn yn mynd i fod yn ddigon anodd heb ddagrau." Mae'n fy nal hyd braich oddi wrtho. "Wyt ti'n deall?"

Dwi'n llwyddo i nodio, a dim mwy.

Mae e wedi cael llythyr o gartref, oddi wrth Mair, a rhaid iddo ei ddarllen yn uchel i mi, meddai, oherwydd mae'n gwneud iddo chwerthin ac mae arno angen chwerthin. Am Tomi bach mae'n sôn fwyaf. Mae Mair yn ysgrifennu ei fod eisoes yn dysgu gwneud synau rhech a'u bod nhw mor uchel ac anweddus â'n synau ni pan oedden ni'n ifanc. Ac mae hi'n dweud bod Sam Mawr yn canu hwiangerdd iddo fynd i gysgu gyda'r nos, *Si-so, jac-y-do* wrth gwrs. Mae hi'n gorffen drwy gofio atom ni a gobeithio ein bod hi'n dau'n iawn.

"Ydy hi'n gwybod?" gofynnaf.

"Nac ydy," medd Wil. "A fyddan nhw ddim yn gwybod tan wedyn. Fe fyddan nhw'n anfon telegram atyn nhw. Ches i ddim ysgrifennu adref tan heddiw." Wrth i ni eistedd wrth y bwrdd mae'n gostwng ei lais ac rydyn ni'n hanner sibrwd nawr. "Fe ddwedi di wrthyn nhw sut roedd hi go iawn, oni wnei di, Tomi? Dyna'r cyfan sy'n bwysig i mi nawr. Dwi ddim eisiau iddyn nhw feddwl mai llwfrgi oeddwn i. Dwi ddim eisiau hynny. Dwi am iddyn nhw wybod y gwir."

"Ddwedaist ti ddim wrth y cwrt-marsial?" gofynnaf iddo.

"Wrth gwrs. Fe wnes fy ngorau, fe wnes fy ngorau glas, ond roedden nhw'n benderfynol o droi clust fyddar. Roedd un tyst gyda nhw, Sarsiant Hanley, a dim ond fe oedd ei angen arnyn nhw. Nid achos llys oedd e, Tomi. Roedden nhw wedi penderfynu cyn eistedd hyd yn oed. Roedd tri ohonyn nhw, Brigadydd a dau gapten, yn edrych yn ffroenuchel arna i fel petawn i'n llwch y llawr. Fe ddwedais bopeth wrthyn nhw, Tomi, yn union fel digwyddodd hi. Doedd dim i fod â chywilydd ohono gen i, nac oedd? Doeddwn i ddim yn mynd i guddio dim. Felly fe ddwedais wrthyn nhw, do, fe wnes i anufuddhau i orchymyn y sarsiant achos bod y gorchymyn yn un twp, yn mynd i'n lladd ni i gyd – roedden ni i gyd yn gwybod hynny – a beth bynnag roedd yn rhaid i mi aros ar ôl i ofalu amdanat ti. Roedden nhw'n gwybod bod dwsin neu fwy wedi'i chael hi yn yr ymosodiad, ac na lwyddodd hyd yn oed un i gyrraedd weiren yr Almaenwyr. Roedden nhw'n gwybod fy mod i'n iawn, ond wnaeth hynny ddim gwahaniaeth."

"Beth am dystion?" gofynnais iddo. "Fe ddylet ti fod wedi cael tystion. Fe allwn i fod wedi dweud. Fe allwn i fod wedi dweud y gwir wrthyn nhw."

"Fe ofynnais amdanat ti, Tomi, ond roedden nhw'n gwrthod dy dderbyn di achos dy fod ti'n frawd i mi. Fe ofynnais am Ifan, ond wedyn fe ddwedon nhw fod Ifan ar goll. O ran gweddill y cwmni, fe ddwedon nhw wrtha i eu bod nhw wedi cael eu symud i sector arall, a'u bod nhw i fyny yn y llinell a ddim ar gael. Felly fe glywson nhw'r cyfan oddi wrth Sarsiant Hanley, ac fe lyncon nhw bopeth ddwedodd e wrthyn nhw, fel petai'n efengyl. Dwi'n credu bod ymosodiad mawr ar fin digwydd, ac roedden nhw'n benderfynol o wneud esiampl o rywun, Tomi. A fi oedd y Wil ar y wal." Chwarddodd. "Wil yn erbyn y wal. Wedyn wrth gwrs roedd sôn yn fy nghofnodion fy mod i'n berson trafferthus, 'un gwrthryfelgar' ddwedodd

Hanley amdana i. Wyt ti'n cofio Etaples? Cyhuddiad o anufudd-dod difrifol? 'Field Punishment Number One'? Roedd y cyfan yno gyda nhw yn y cofnodion. A 'nhroed i hefyd."

"Dy droed di?"

"Y tro 'na ces i fy saethu yn fy nhroed. Mae pob anaf i'r traed yn amheus, medden nhw. Roedden nhw'n amau mai fi saethodd fy hunan – mae'n digwydd yn aml, medden nhw. Fe allwn i fod wedi saethu fy hunan er mwyn dianc o'r ffosydd a chael mynd 'nôl adre."

"Ond nid fel 'na roedd hi," meddwn i.

"Nage, dwi'n gwybod. Fe gredon nhw'r hyn roedden nhw am ei gredu."

"Chest ti neb arall i siarad ar dy ran di?" gofynnais iddo. "Fel swyddog neu rywun?"

"Doeddwn i ddim yn meddwl bod angen un arna i," medd Wil wrthyf. "Dwed y gwir, Wil, ac fe fyddi di'n iawn. Dyna fel roeddwn i'n ei gweld hi. Sut gallwn i fod wedi twyllo fy hunan? Meddyliais efallai y byddai llythyr geirda gan Wilkie'n helpu. Roeddwn i'n siŵr y bydden nhw'n gwrando arno fe, ac yntau'n swyddog ac yn un ohonyn nhw. Fe ddwedais wrthyn nhw ble ro'n i'n meddwl roedd e. Y peth diwethaf glywais i, roedd e mewn ysbyty yn yr Alban yn rhywle. Fe ddwedon nhw wrtha i eu bod nhw wedi cysylltu â'r ysbyty, ond ei fod wedi marw o'i glwyfau chwe mis cyn hynny. Fe gymerodd y cwrt-marsial cyfan lai nag awr, Tomi. Dyna'r cyfan roddon nhw i mi. Awr am fywyd dyn. Dyw e ddim yn llawer, ydy e? A wyddost ti beth ddwedodd y brigadydd, Tomi? Fe ddwedodd 'mod i'n ddyn da i ddim. Da i ddim! Dwi wedi cael fy ngalw'n llawer o bethau yn fy mywyd, Tomi, ond chafodd dim byd erioed y fath effaith arna i. Ond ddangosais i ddim, cofia. Fyddwn i ddim wedi rhoi'r pleser hwnnw iddyn nhw. Ac wedyn fe gyhoeddodd e'r ddedfryd. Dyna roeddwn i'n ei ddisgwyl erbyn hynny. Effeithiodd y peth arna i ddim hanner cymaint ag y disgwyliwn.'

Dwi'n plygu fy mhen, achos alla i ddim atal y dagrau rhag cronni yn fy llygaid.

"Tomi," medd ef, gan godi fy ngên. "Edrych ar yr ochr olau. Dyw hyn ddim mwy na'r hyn roedden ni'n ei wynebu bob dydd yn y ffosydd. Fe fydd y cyfan drosodd yn gyflym iawn. Ac mae'r bechgyn yn gofalu'n dda amdanaf yma. Dydyn nhw ddim yn hoffi'r peth chwaith. Tri phryd o fwyd poeth y dydd. Alla i ddim cwyno. Mae'r cyfan drosodd, neu fe fydd e cyn hir beth bynnag. Wyt ti eisiau te, Tomi? Newydd ddod â pheth i mi roedden nhw pan ddest ti."

Felly rydyn ni'n eistedd un bob pen i'r bwrdd ac yn rhannu mẁg o de cryf melys, ac yn siarad am bopeth mae Wil eisiau siarad amdano: gartref, pwdin bara gyda rhesins a chrwstyn caled, nosweithiau golau leuad yn pysgota am frithyll môr yn afon y Cyrnol, Meg, cwrw yn y Llew Du, yr awyren felen a'r losin.

"Siaradwn ni ddim am Sam Mawr na Mam na Mair," medd

Wil, "achos fe fydda i'n crio os gwnaf i, a dwi wedi addo i mi fy hunan na fyddwn i'n gwneud." Mae'n pwyso 'mlaen yn sydyn yn ddifrifol iawn, gan gydio yn fy llaw. "A sôn am addewidion, yr addewid 'na wnest ti i mi 'nôl yn y twll ymochel, Tomi. Wnei di ddim anghofio, wnei di? Fe wnei di ofalu amdanyn nhw?"

"Dwi'n addo," meddaf wrtho, a dwi erioed wedi bod cymaint o ddifrif yn fy mywyd.

"Mae'r wats gyda ti o hyd, felly," medd ef, gan dorchi fy llawes. "Cadwa hi i dician drosto i ac yna, pan ddaw'r amser, rho hi i Tomi Bach, fel bod rhywbeth gyda fe oddi wrtha i. Fe fyddai hynny'n braf. Fe wnei di dad da iddo, fel roedd Tada i ni."

Dyna'r eiliad. Rhaid i mi ddweud nawr. Dyma fy nghyfle olaf. Dwi'n dweud wrtho sut buodd Tada farw, sut digwyddodd y cyfan, yr hyn wnes i, sut y dylwn fod wedi dweud wrtho flynyddoedd 'nôl, ond nad oeddwn i wedi mentro gwneud. Mae'n gwenu. "Roeddwn i'n gwybod hynny drwy'r amser, Tomi. A Mam hefyd. Roeddet ti'n arfer siarad yn dy gwsg. Yn cael hunllefau o hyd ac o hyd, yn fy nghadw i ar ddihun, oeddet wir. Dwli pur. Nid ti oedd ar fai. Y goeden laddodd Tada, Tomi, nid ti."

"Wyt ti'n siŵr?" gofynnaf iddo.

"Dwi'n siŵr," medd ef. "Yn hollol siŵr."

Rydyn ni'n edrych ar ein gilydd ac yn gwybod bod amser yn mynd yn brin nawr. Dwi'n gweld panig yn saethu drwy ei lygaid. Mae'n tynnu llythyrau allan o'i boced ac yn eu gwthio ar draws y bwrdd. "Fe wnei di'n siŵr eu bod nhw'n cael y rhain, Tomi?"

Rydyn ni'n cydio yn nwylo ein gilydd dros y bwrdd, yn rhoi ein talcennau at ei gilydd ac yn cau ein llygaid. Dwi'n llwyddo i ddweud yr hyn dwi wedi bod eisiau ei ddweud.

"Dwyt ti ddim yn dda i ddim, Wil. Nhw yw'r diawliaid da i ddim. Ti yw'r ffrind gorau fuodd gyda fi erioed, y person gorau dwi wedi'i adnabod erioed."

Dwi'n clywed Wil yn dechrau hymian yn dawel. *Si-so, jac-y-do*, allan o diwn braidd. Dwi'n hymian gyda fe, a'n dwylo ni'n cydio'n dynnach, a'n hymian yn uwch nawr. Wedyn rydyn ni'n canu, yn canu'r gân yn uchel fel y gall y byd i gyd ein clywed ni, ac rydyn ni'n chwerthin wrth ganu. Mae'r dagrau'n dod, ond does dim gwahaniaeth, achos nid dagrau tristwch yw'r rhain, ond dagrau dathlu. Ar ôl i ni orffen, medd Wil: "Dyna fydda i'n ei ganu bore fory. Nid Duw gadwo'r blydi brenin neu ryw emyn. *Si-so, jac-y-do* fydd hi i Sam Mawr, i ni i gyd."

Mae'r gwarchodwr yn dod i mewn ac yn dweud bod ein hamser ni ar ben. Wedyn rydyn ni'n ysgwyd llaw fel mae dieithriaid yn ei wneud. Does dim geiriau ar ôl i'w dweud. Dwi'n dal gafael yn ein hedrychiad olaf ac eisiau ei gofio am byth. Yna dwi'n troi ac yn ei adael.

Pan gyrhaeddais 'nôl i'r gwersyll brynhawn ddoe roeddwn i'n disgwyl y cydymdeimlad a'r wynebau hir a'r holl lygaid yn fy osgoi fel roeddwn i wedi dod i arfer â nhw am ddyddiau cyn hynny. Yn lle hynny cefais fy nghyfarch gan wenu mawr a'r newyddion bod Sarsiant Hanley wedi marw. Roedd wedi'i ladd, medden nhw wrthyf, mewn damwain anarferol, wedi'i chwythu gan grenâd allan ar y maes saethu. Felly cafwyd rhywfaint o gyfiawnder, o ryw fath, ond roedd wedi dod yn rhy hwyr i Wil. Gobeithiwn fod rhywun yng Ngwersyll Walker wedi clywed am y peth ac y byddai'n dweud wrth Wil. Ychydig o gysur fyddai hynny iddo, ond byddai'n well na dim. Cyn hir trodd unrhyw lawenydd roeddwn i'n ei deimlo, neu roedd unrhyw un ohonom yn ei deimlo, yn foddhad diflas, ac yna diflannodd yn llwyr. Roedd fel petai'r holl gatrawd wedi ymdawelu, a phawb fel finnau'n methu meddwl am ddim byd ond Wil, am yr anghyfiawnder roedd e'n ei ddioddef, a'r peth anochel fyddai'n digwydd iddo yn y bore.

Rydyn ni wedi bod yn aros yr wythnos ddiwethaf 'ma mewn tŷ fferm gwag, lai na milltir i lawr y ffordd o'r fan lle maen nhw'n cadw Wil yng Ngharchar Walker. Rydyn ni wedi bod yn aros i fynd i'r ffosydd ymhellach i lawr y llinell ar y Somme. Rydyn ni'n byw mewn pebyll cloch, a'r swyddogion yn aros yn y tŷ. Mae'r lleill wedi bod yn gwneud eu gorau glas i wneud pethau cyn hawsed â phosibl i mi. Dwi'n gwybod wrth eu golwg nhw cymaint maen nhw'n cydymdeimlo â mi, yr NCOs a'r swyddogion hefyd. Ond er eu bod nhw'n garedig dwi ddim eisiau eu cydymdeimlad na'u help a does mo'u hangen arnaf. Dwi ddim eisiau difyrrwch eu cwmni hyd yn oed. Y cyfan dwi eisiau yw bod ar fy mhen fy hun. Yn hwyr gyda'r nos dwi'n mynd â lamp gyda fi ac yn symud allan o'r babell i'r ysgubor hon, neu i'r hyn sy'n weddill ohoni o leiaf. Maen nhw'n dod â blancedi a bwyd i mi, ac yna'n fy ngadael ar fy mhen fy hun. Maen nhw'n deall. Mae'r offeiriad yn dod i wneud yr hyn a all e. Ni all wneud dim byd. Dwi'n ei anfon ymaith. Felly dwi yma nawr, y noson wedi mynd heibio mor gyflym, a'r cloc yn tician tuag at chwech o'r gloch. Pan ddaw'r amser byddaf yn mynd allan, ac yn edrych i fyny ar yr awyr achos dwi'n gwybod y bydd Wil yn gwneud yr un peth wrth iddyn nhw fynd ag ef allan. Fe fyddwn ni'n gweld yr un cymylau, yn teimlo'r un awel ar ein hwynebau. O leiaf wedyn fe fyddwn ni gyda'n gilydd.

UN FUNUD I CHWECH

Dwi'n ceisio cau fy meddwl i'r hyn sy'n digwydd y funud hon i Wil. Dwi'n ceisio meddwl am Wil fel roedd e gartref, fel roedden ni i gyd. Ond y cyfan y gallaf ei weld yn fy meddwl yw'r milwyr yn tywys Wil allan i'r cae. Dyw e ddim yn baglu. Dyw e ddim yn gwrthwynebu. Dyw e ddim yn gweiddi'n uchel. Mae'n cerdded â'i ben yn uchel, yn union fel roedd e pan roddodd Mr Morris y gansen iddo yn yr ysgol erstalwm. Efallai bod ehedydd yn codi, neu frân fawr yn hedfan mewn cylch i'r gwynt uwch ei ben. Mae'r fintai saethu'n ymlacio, yn aros. Chwe dyn, eu reifflau wedi'u llwytho ac yn barod, a phob un eisiau i'r cyfan fod ar ben. Byddant yn saethu un o'u milwyr eu hunain ac mae'n teimlo fel llofruddiaeth iddyn nhw. Maen nhw'n ceisio peidio ag edrych ar wyneb Wil.

Caiff Wil ei glymu wrth y postyn. Mae'r offeiriad yn adrodd gweddi, yn gwneud arwydd y groes ar ei dalcen ac yn symud i ffwrdd. Mae hi'n oer nawr ond dyw Wil ddim yn crynu. Mae'r swyddog, a'i rifolfer yn barod, yn edrych ar ei wats. Maen nhw'n ceisio rhoi cwfl dros ben Wil, ond mae'n ei wrthod. Mae'n edrych i fyny i'r awyr ac yn anfon ei feddyliau byw olaf adref.

"Presennol! Barod! Anelwch!"

Mae'n cau ei lygaid ac wrth aros mae'n canu'n dawel. "*Si-so, jac-y-do, dal y deryn dan y to.*" Dw innau'n canu gydag ef o dan fy anadl. Dwi'n clywed sŵn yr ergydion yn atseinio.

Gorffennwyd. Mae'r cyfan ar ben. Gyda'r ergyd honno, mae rhan ohonof wedi marw gyda fe. Dwi'n troi'n ôl i fynd i unigrwydd fy ysgubor wair, a gweld nad wyf ar fy mhen fy hun o bell ffordd wrth i mi alaru. Ledled y gwersyll dwi'n eu gweld nhw'n sefyll yn gefnsyth y tu allan i'w pebyll. Ac mae'r adar yn canu.

* * *

Dwi ddim ar fy mhen fy hun y prynhawn hwnnw chwaith pan af i Wersyll Walker i gasglu ei eiddo, ac i weld y fan lle maen nhw wedi'i gladdu. Byddai'n hoffi'r lle. Mae'n edrych allan dros ddôl i lawr i fan lle mae nant yn llifo'n dawel o dan y coed. Maen nhw'n dweud wrthyf iddo gerdded allan â gwên ar ei wyneb fel petai'n mynd am dro y peth cyntaf yn y bore. Maen nhw'n dweud wrthyf iddo wrthod y cwfl, a'u bod nhw'n meddwl ei fod yn canu pan fu farw. Mae chwech ohonom a oedd yn y twll ymochel y diwrnod hwnnw yn cadw gwyliadwriaeth uwchben ei fedd tan i'r haul fachlud. Mae pob un ohonom yn dweud yr un peth wrth adael.

"Hwyl fawr, Wil."

Y diwrnod canlynol mae'r gatrawd yn martsio i fyny'r ffordd tua'r Somme. Diwedd mis Mehefin yw hi, ac maen nhw'n dweud y bydd ymosodiad enfawr cyn hir a ninnau'n rhan ohono. Byddwn ni'n eu gwthio nhw 'nôl yr holl ffordd i Berlin. Dwi wedi clywed hynny o'r blaen. Y cyfan a wn i yw bod yn rhaid i mi oroesi. Mae gen i addewidion i'w cadw.

ÔL-NODYN

Yn y Rhyfel Byd Cyntaf, rhwng 1914 a 1918, cafodd dros 290 o filwyr o fyddinoedd Prydain a'r Gymanwlad eu dienyddio gan finteioedd saethu. Cafodd rhai eu dienyddio am gilio o'r frwydr ac am lwfrdra, a dau am wneud dim mwy na chysgu pan oedden nhw ar wyliadwriaeth.

Erbyn hyn, rydyn ni'n gwybod bod llawer o'r dynion hyn yn dioddef o sièl-syfrdandod *(shell shock)*. Roedd yr achosion yn y cwrt-marsial yn fyr, a'r milwyr oedd yn cael eu cyhuddo heb neb i siarad ar eu rhan.

Yn 2006 yn unig y cydnabu'r awdurdodau'r anghyfiawnder yr oedd y milwyr hyn wedi'i ddioddef. Rhoddwyd pardwyn diamod iddynt ym mis Tachwedd 2006.

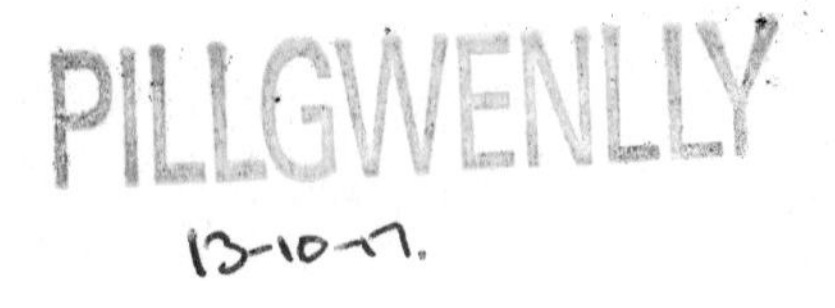